# De wegloper

# De wegloper
## *Joke Wit*

MET TEKENINGEN
VAN IRIS BOTER

COLUMBUS

De wegloper
Joke Wit

ISBN 978-90-8543-161-9
NUR 282, 283

Ontwerp omslag: BEEEP grafisch ontwerp bno
Illustraties omslag en binnenwerk: Iris Boter
Opmaak binnenwerk: Gerard de Groot

Uitgeverij Columbus is onderdeel van Uitgeversgroep Jongbloed te Heerenveen
www.jongbloed.com

# Inhoud

# 1. Ik zie je

'Is het hier?' vraagt Wietse aan zijn moeder.

Hij kan het haast niet geloven. Gaan ze hier wonen? In deze straat? Moet je die huizen zien. Ze zijn vast al heel oud. Sommige staan scheef, andere staan voorover gebogen, net oude mensen! Overal staan auto's geparkeerd. Zelfs op de stoep! En wat is dat nou voor een winkel? Er staan allemaal rare tekens op het raam. Wietse snapt er niets van.

In de open deur van de winkel staat een jongen. Hij heeft zwart haar en is niet zo lang als Wietse. Op zijn witte shirt staat een grote roofvogel. De jongen staat Wietse met nieuwsgierige, bruine ogen aan te kijken. Wietse kijkt boos terug.

Zijn moeder pakt hem bij zijn arm.

'Kom Wietse, we moeten daarheen. Naar die blauwe deur, naast de winkel. Dan de trap op naar boven. Opa en oma zijn er al.'

Wietse rukt zich los. Hij wil niet mee. Hij blijft staan waar hij staat. Alsof zijn voeten niet meer vooruit willen.

Ik ga niet! denkt hij. Ik ga hier echt niet wonen! Hij is boos en verdrietig tegelijk. Het huilen staat hem nader dan het lachen.

'Wietse, kom nou!' zegt zijn moeder.

'Ik wil niet!' zegt Wietse. 'Ik wil weer terug naar huis!'

Zijn moeder zucht.

'Dat kan niet, Wietse, dat weet je best. Ons huis in Friesland is verkocht. We kunnen niet terug. Kom nou maar. Het valt best mee, dat zul je zien.' Ze doet de blauwe deur open en loopt alvast de trap op. De jongen bij de winkeldeur staat nog steeds te kijken. Wat moet dat joch toch?

'Hoi', zegt het joch. 'Kom jij hier wonen?'

'Zal wel moeten', zegt Wietse.

'Leuk!'

'Wat je leuk noemt', zegt Wietse knorrig.

'Ik woon hier, achter onze winkel', wijst de jongen. 'Ik heet Yunus en jij?'

'Wietse.'

'Waar kom je vandaan?' vraagt Yunus.

'Uit Friesland. En jij?'

'Gewoon, hier vandaan, net als mijn vader. Mijn moeder komt uit Turkije.'

'O.'

'Het is hier best fijn, hoor.'

'Zal wel', zegt Wietse.

'Als je wilt laat ik je de buurt zien. Hier achter ons huis is een speelveldje. Daar kun je ook voetballen. En lekker crossen met je fiets. Verderop is de haven en ...'

'Wietse!'

Wietse zucht. 'Ik moet gaan', zegt hij dan.

'Oké, ik zie je!' roept Yunus, terwijl Wietse de trap op sjokt.

'Ik zie je?' denkt Wietse. Wat is dat nou weer? Ik weet heus wel dat hij me ziet. Of bedoelt hij soms: tot ziens? Hij kijkt achterom. Yunus staat nog op de stoep. Hij steekt zijn hand op.

*'Oant sjen'*, zegt Wietse en loopt snel door. De deur van zijn nieuwe huis staat open. Aan de buitenkant, naast de deur, hangt een Friese klomp. Opa staat in de gang op hem te wachten.

'Mooi hè?' wijst hij. 'Is hier toch nog een stukje Friesland.'

Wietse haalt zijn schouders op. Hij wordt er niet vrolijker van.

'Niet zo somber, Wietse', zegt opa. 'Jullie redden het hier wel. Een knul als jij heeft zo weer nieuwe vrienden.'

Oma komt er ook bij. Ze geeft Wietse een knuffel. Daarvoor moet ze bijna op haar tenen staan. Wietse is langer dan zijn oma. Hij is al bijna net zo lang als opa. Oma bekijkt hem eens goed. 'Je begint steeds meer op je vader te lijken', zegt ze. 'Net zo lang en met hetzelfde bruine haar. Kom gauw binnen, ik heb appeltaart gebakken.'

Wietse kijkt de kamer rond. De meeste meubels uit hun oude huis staan nu hier. Wat niet mee kon staat bij opa en oma in de garage. Opa en oma hebben mama geholpen met de verhuizing.

'Dit is jouw kamer, Wietse', zegt mama. Ze doet een deur in de hal open.

Wietse gaat naar binnen. De kamer is klein. Maar zijn bed en bureau staan er. Boven het bureau heeft opa een plank getimmerd voor zijn boeken. Zijn speelgoed ligt in een la op wieltjes onder het bed en in de kast naast het bureau hangen zijn kleren.

'Je moet het zelf nog een beetje gezellig maken, met je posters en je boeken en zo', zegt mama.

Wietse ploft neer op zijn bed. Hij wil het niet meteen toegeven, maar het is best een leuke kamer.

Dan kijkt hij zoekend om zich heen.

'Mijn trommelstokken!' schrikt hij. 'Je hebt ze toch wel meegenomen?'

Zijn moeder wijst naar de vensterbank.

'Daar liggen ze.'

Wietse pakt de trommelstokken en begint meteen te trommelen. Op de vensterbank, op de rand van zijn bed, op zijn bureau. Even is hij alles vergeten. Zijn moeder loopt lachend de kamer uit en zegt: 'Als jij maar kan drummen, komt het wel goed.'

Zo is dat, denkt Wietse. Drummen is het leukste dat er bestaat.

'Wie wil er appeltaart?' roept opa even later vanuit de kamer.

'Ik!' roept hij er meteen achteraan.

'Ik ook!' roept Wietse. Hij legt zijn drumstokken neer en gaat naar de kamer. Hij voelt zich opeens een stuk vrolijker.

Opa snijdt lekker grote stukken van de appeltaart. Als de taart bijna op is, gaat de bel. Wietse doet open.

'Hoi', zegt Yunus. Hij heeft een grote, grijze pan in zijn handen.

'Alsjeblieft, van mijn moeder. Jullie zullen het wel druk hebben met de verhuizing en zo. Nu hoeft je moeder niet te koken. Kijk uit, want de pan is nog een beetje heet.'

'O', zegt Wietse verbaasd. 'Wat zit erin?'

'Tava met rijst. Dat is heel lekker.'

'Laat die jongen toch binnenkomen', roept opa.

'O ja, sorry, kom binnen', zegt Wietse. 'Mam, Yunus heeft eten voor ons. Rijst met eh ...'

'Tava', zegt Yunus. Hij geeft de pan aan Wietses moeder.

'Mmm ...' zegt ze, 'dát ruikt heerlijk. Wat aardig van je moeder.'

'U kunt het straks zo opwarmen, heeft mijn moeder gezegd.'

'Dat zal ik doen. Wil je je moeder heel hartelijk bedanken?'

'Is goed', zegt Yunus. 'Hè Wietse, ga je mee fietsen? Ha, dat rijmt!'

'Ja hoor,' zegt Wietse, 'die heb ik al vaker gehoord.'

'Maar ik bedoel het serieus. Ga je mee? Dan laat ik je de buurt zien.'

'Ik weet niet ...' weifelt Wietse.

'Ga maar', zegt zijn moeder. 'Wij redden het hier wel. Kijk je goed uit? En niet te lang wegblijven. Over een uurtje gaan we eten.'

'Oké.' Wietse loopt achter Yunus aan, de trap af naar beneden.

'Eh ... waar is mijn fiets eigenlijk?' vraagt Wietse zich hardop af.

'Bij ons in het magazijn', zegt Yunus. 'Kom maar mee.'

Ze lopen door de winkel. Daar is van alles te koop. Groente en fruit. Pasta en rijst. Turks brood en nog veel meer. Achter de toonbank staat een man met grijs haar en een snor.

'Hallo', zegt hij vrolijk en geeft Wietse een hand. 'Jij bent zeker Wietse.'

'Dat klopt', zegt Wietse.

'Welkom in de Jan van Galenstraat, Wietse', zegt hij vriendelijk. 'Ik ben de vader van Yunus. Ik hoop dat we snel vrienden worden. En als ik je ergens mee kan helpen, dan zeg je het maar, goed?'

'Goed', zegt Wietse.

'We gaan fietsen', zegt Yunus. 'Ik laat Wietse de buurt zien.'

'Goed idee', zegt zijn vader. 'Veel plezier! Hier, allebei een appel. Lekker voor onderweg.'

Even later rijden Wietse en Yunus de hoek om. Op het speelveldje zijn een paar jongens uit de buurt aan het voetballen.

'Jo Yunus, kom je ook?'

'Misschien straks!' roept Yunus terug.

Wietse en Yunus rijden verder, ze slaan eerst linksaf en daarna rechtsaf. Ze fietsen onder een stenen poort door en komen zo bij de haven.

In de haven liggen veel zeilboten. Maar ook motorboten, een sloep en een paar roeibootjes. In de motorboten liggen visnetten. Verderop ligt een groot schip met drie masten erop. Wietse remt af en kijkt zijn ogen uit.

'Wow, wat liggen hier veel boten!' zegt hij. 'Zie je die grote? Dat is een driemaster. En die motorboot, dat is een kotter.'

'Hoe weet je dat?' vraagt Yunus.

'Van mijn vader', zegt Wietse. 'Die weet alles van boten.'

'Je vader? O ja, je vader, waar is die eigenlijk?'

'Ver weg. Naar een ander land!'

'Waarom?' vraagt Yunus verbaasd en hij kijkt Wietse met grote ogen aan.

'Daarom', zegt Wietse. 'Mijn vader is ontdekkingsreiziger.'

'Een wat? Een ontdekkingsreiziger? Wat ontdekt hij dan?'

'Ja, dat weet hij nog niet, natuurlijk', zegt Wietse. Yunus wil nog meer vragen, maar Wietse is al doorgereden. Yunus gaat hem snel achterna.

Ze rijden langs de kade, waar ook veel boten liggen. En langs de hoge brug, waar net een vrachtschip onderdoor vaart.

'Gaaf, zo'n groot schip', vindt Wietse.

'Heel gaaf,' zegt Yunus, 'een jongen bij mij in de klas woont op zo'n schip. Nou ja, alleen in de vakanties. De rest van het jaar woont hij bij zijn oom en tante.'

'Op welke school zit jij?' vraagt Wietse.

'Op De Brug, die is hier vlakbij. Ik ga volgende week naar groep zeven. En jij?'

'Naar groep zes.'

'Ga je ook naar De Brug?'

'Nee, naar De Morgenster, ik weet nog niet waar die is.'

'Ik wel', zegt Yunus. 'Zullen we er even naartoe fietsen? Dan moeten we hier rechtsaf.'

Yunus fietst alvast vooruit. Aarzelend rijdt Wietse achter hem aan. Hij heeft eigenlijk helemaal geen zin om die school te zien. Het is nog vakantie! Hij wil niet eens denken aan die nieuwe school.

Yunus kijkt achterom waar Wietse blijft.

'Wietse, kom op nou', roept hij.

'Jaha, ik kom al', roept Wietse terug. Met tegenzin rijdt hij naar Yunus toe.

'Hier de bocht om en dan zijn we er', wijst Yunus.

Als ze voor de school staan voelt Wietse opeens een knoop in zijn maag. Mijn nieuwe school, denkt hij. Volgende week moet ik erheen. En ik ken er niemand.

'Jammer dat je niet naar *De Brug* gaat', zegt Yunus.

'Ja, jammer', zegt Wietse, maar hij denkt: ik wou dat ik nooit meer naar school hoefde.

# 2. Ik wil niet!

H et is maandagochtend. Wietse en zijn moeder zitten aan de keukentafel te ontbijten.

'Eet eens door Wietse, je moet zo weg', zegt Wietses moeder.

'Ik heb geen trek', zegt Wietse, terwijl hij zijn bord van zich af schuift.

'Toe nou, je moet eten, anders kun je niet goed leren', zegt zijn moeder. 'En schiet nou op, straks kom je nog te laat op school.'

'Ik wil niet', zegt Wietse. 'Ik wil niet naar die school. Ik ken er niemand. Ik ga niet!'

'Alle kinderen moeten naar school, dus jij ook', zegt zijn moeder beslist.

'Maar ik ben misselijk', zegt Wietse en hij wrijft over zijn buik.

'Dat gaat wel over. Je zult zien dat het best een leuke school is. Het is echt niet zo erg om ergens opnieuw te beginnen, hoor.'

'Ik wil helemaal niet opnieuw beginnen!' roept Wietse boos. 'Ik wil dat alles blijft zoals het was!'

'Dat gaat nu eenmaal niet, Wietse.' Zijn moeder slaat een arm om hem heen. 'Het komt wel goed, echt waar. Ik rijd wel met je mee naar school', zegt ze.

Wietse staat op, doet zijn jas aan en pakt zijn rugtas. Samen met zijn moeder loopt hij naar beneden. Even later fietsen ze in de richting van *De Morgenster*.

Ik hoop dat we te laat komen, denkt Wietse. En dat de deur dicht is. En dat ik er dan niet meer in mag.

Maar als ze bij de school komen, spelen de kinderen nog vrolijk op het plein.

'Je hoeft niet mee te gaan naar binnen, hoor', zegt Wietse opeens.

'Weet je het zeker?' vraagt zijn moeder. 'Ik heb tegen jouw meester gezegd dat ik je zou brengen.'

'Ik kan best alleen', zegt Wietse. 'Ik ben geen kleuter meer.'

'Nou goed, dan ga ik naar mijn werk. Dag Wietse, veel plezier vandaag.' Ze wil Wietse een zoen geven, maar die loopt al naar het fietsenhok. Daar kijkt hij nog even om en zwaait naar zijn moeder. Ze zwaait terug en rijdt dan weg.

Wietse zet zijn fiets in het fietsenhok. Hij loopt een stukje het plein op en kijkt onwennig om zich heen. Sommige kinderen rennen wat rond of doen tikkertje. Een paar jongens proberen een bal in een basketbalnet te gooien dat aan de muur van de school hangt. Meesters en juffen lopen in groepjes over het plein. Ze drinken koffie en praten gezellig met elkaar. Meisjes vertellen elkaar in geuren en kleuren over hun vakantie. Kleuters klauteren op het klimrek of hangen als aapjes aan de stang. Niemand let op Wietse.

De schoolbel gaat.

De deur van de school zwaait open. De kinderen lopen naar binnen. De meesters en juffen ook.

Wietse blijft staan. Zal ik gewoon wegrennen? denkt hij. Weg van de school en weg van alles en iedereen? Maar waar moet ik dan heen? Naar Verweggistan? Of naar het eiland waar mijn vader woont? Dat zal niet lukken. Kon ik maar vliegen. Dan vloog ik er zo naartoe.

Een lange, magere meester in een spijkerbroek en een vrolijk gekleurd overhemd komt naar buiten en roept: 'Kom joh, naar binnen! Het is de hoogste tijd!'

Wietse schrikt. Nu is het te laat. Weglopen kan niet meer. Hij moet naar binnen. Langzaam loopt hij de school in.

'Jou ken ik nog niet', zegt de meester. 'Ben jij soms Wietse, de nieuwe jongen uit Friesland?'

'Ja', zegt Wietse, terwijl hij naar de bruine cowboylaarzen van de meester kijkt.

'Ik ben meester Sep, de meester van groep zes. Ik dacht dat je moeder je zou brengen?'

'Dat heeft ze ook gedaan', zegt Wietse. 'Maar nu is ze naar haar werk.'

De meester kijkt Wietse aan. 'Zo te zien heb je nog niet erg veel zin in school, hè?'

'Nee', zegt Wietse eerlijk.

'Dat wordt wel anders. Dit is echt een fijne school, Wietse. En groep zes is de coolste groep. Het mooiste is dat jij daar ook in komt. Loop maar mee, dan kun je kennismaken met de andere kinderen.'


In de klas is het druk. De tafels en stoelen staan in groepjes van vier. De meeste kinderen zitten al op hun plaats. Een kaartje met hun naam staat op hun tafel.

Wietse kijkt rond. Waar is nog een lege plek?

'Ben jij Wietse?' vraagt een meisje met lang, blond haar. 'Dan moet je hier bij ons zitten. Kijk maar, hier staat je naam.'

Wietse gaat snel zitten. Aan de andere twee tafels zitten een jongen met rood haar en een meisje met een donkere paardenstaart.

'Hoi', zegt de jongen. 'Ik ben Erik.'

'Ik ben Rian', zegt het meisje met het blonde haar. 'En dat is Benthe.' Ze wijst naar het meisje met de paardenstaart. Die lacht een beetje verlegen naar Wietse.

Meester Sep klapt in zijn handen. Langzaam wordt het stil in de klas.

'Goedemorgen, vakantiegangers. Jullie zijn allemaal erg blij dat de vakantie weer voorbij is. Ik zie het aan jullie gezicht.'

'Blèèh, niet waar, meester!' roept Erik.

'Jawel, hoor. Dat komt natuurlijk omdat jullie nu in mijn klas zitten. En omdat jullie bij mij lekker vaak rekenen krijgen en fijne, moeilijke sommen.'

'Boehoe!' roept Merijn, een nogal stoere jongen met haar tot op zijn schouders, die een paar tafels verderop zit. De andere kinderen moeten erom lachen.

'Wat gezellig', zegt meester Sep. 'We hebben ook een koe in de klas.'

Wietse schiet in de lach. Die meester is best grappig.

'Én we hebben een nieuwe leerling.' Meester Sep wijst naar Wietse. 'Hij komt niet alleen in een nieuwe klas maar ook in een nieuwe school. Vertel zelf maar hoe je heet.'

Alle kinderen draaien zich om naar Wietse. Hij krijgt er een kleur van.

'Ik heet Wietse', zegt hij.

'Ha, ha, Wietse! Jij kunt zeker goed fietse!' roept Merijn weer.

'Nou niet te lollig worden, Merijn, want dan is het niet leuk meer', zegt meester Sep streng.

'Wie heet er nou Wietse?' zegt Merijn. 'Kom je uit een ander land of zo?'

'Echt niet', zegt Wietse.

'Een beetje wel', zegt de meester. 'Want Wietse komt uit het mooie Friesland, net als ik.'

'Whaha, Friesland!' begint Merijn weer. Maar als hij het strenge gezicht van de meester ziet is hij gauw stil.

'Zat je daar op een leuke school?' vraagt Erik, die naast Wietse zit.

'Ja, best wel', zegt Wietse.

'Dit is ook een fijne school hoor', zegt Rian, het meisje dat hem daarnet zijn plaats heeft gewezen.

'Zo is het maar net', vindt meester Sep. 'Je bent vast zo gewend, Wietse. En als je vragen hebt, dan kom je maar, oké? Zo, en nu wil ik weleens weten hoe jullie vakantie was. Wie wil er iets vertellen?' Meteen schieten alle vingers de lucht in.

'Ik meester', 'Nee ik, ik!'

'Niet allemaal tegelijk. Rian, jij mag beginnen.'

'Wij waren in Amerika', zegt Rian. 'We gingen naar Disney-land. Het was echt supergaaf. Er was elke dag een optocht en ik sta op de foto met Mickey Mouse. Kijk maar.' Rian laat de foto aan de klas zien.

'Eh ... wie is nou Mickey en wie ben jij?' grapt meester Sep.

'Dat ziet u heus wel', lacht Rian.

'Wij zijn naar België geweest,' zegt Stijn, 'dat was ook heel leuk. We hadden een stacaravan. En er was een groot meer. Daar kon je kanovaren.'

'Wij gingen naar Marokko', vertelt Samir. 'Daar is het altijd fijn. Maar het is wel heel ver rijden. En dat is niet leuk.'

Wow, denkt Wietse. Ik zou ook best eens naar Marokko willen of naar België of Amerika.

'Weet je wat wij hebben gedaan?' vraagt Robert-Jan. 'Wij hebben gekampeerd bij een boer. En ik mocht meehelpen. Met hooien en met koeien voeren. En de stal aanvegen. En nog veel meer. Het was heel erg leuk.'

'Ja hoor, leuk bij die stinkkoeien', spot Merijn, terwijl hij met twee vingers zijn neus dicht knijpt.

'Wij zijn naar Mexico geweest. We waren in een heel duur hotel. Vlak bij het strand.'

'Pff, opschepper', zegt Robert-Jan.

'En jij, Wietse?' Hoe was jouw vakantie?' vraagt meester Sep.

'Supersaai zeker', zegt Merijn pesterig.

'Echt niet', zegt Wietse. Hij kijkt boos naar Merijn.

'Het was juist heel spannend. Wij waren in eh ... Egypte.'

'Egypte? Wat hebben jullie daar gedaan?' vraagt Rian.

'Nou, gezwommen en op het strand gevoetbald. En ik heb in een zeilbootje gevaren. Eerst op de rivier de Nijl en toen op een meer.'

'Noem je dat spannend?' vraagt Merijn.

'Ja, wat dacht je dan? Er zwemmen wel krokodillen in dat meer, hoor. Hele grote. We hebben ook gesnorkeld in de Rode Zee en daar zwemmen haaien. En ik ben in de woestijn geweest. Daar heb ik in een tent geslapen en op een dromedaris gereden. We gingen ook naar een tempel. Daar hadden ze beelden, nog hoger dan een kerktoren. Echt heel gaaf.'

'Cool man, dat zou ik ook wel willen', zegt Robert-Jan.

Merijn wil alweer iets zeggen, maar Rian is hem voor.

'Waar bent u geweest, meester?' vraagt ze.

'Ik was in Afrika', zegt meester Sep. 'In Kenia.'

'Echt waar? Heeft u ook wilde dieren gezien?'

'Jazeker! In Kenia kun je allerlei wilde dieren tegenkomen. Met een beetje geluk zie je de *big five*.'

'De *big five*? Wat is dat nou voor een dier?' vraagt Samir.

'Het zijn er vijf', zegt de meester. 'De olifant, de neushoorn, de leeuw, het luipaard en de buffel.'

'En heeft u die allemaal gezien?'

'Nee, niet allemaal. Wel een paar. We gingen in een jeep op safari. De gids die bij ons was, wist precies waar je de wilde dieren kon tegenkomen. Eerst reden we uren over de savanne. Dat is een grote vlakte, met hier en daar een boom. Later kwamen we bij een meer. Daar waren zebra's en giraffes aan het drinken. Dat was prachtig om te zien. Toen we verder reden zagen we een groep leeuwen. Ze lagen lekker lui onder een boom, niet zo heel ver van de weg. De gids stopte, zodat wij foto's konden maken. Ik kon bijna niet geloven dat ik zo dicht bij echte leeuwen was. Er waren ook kleintjes bij. Ze lagen dicht tegen hun moeder aan te slapen. Een grote mannetjesleeuw deed zijn kop omhoog en gaapte. Daarna keek hij ons strak aan. Opeens stond hij op en liep langzaam onze kant op.

De gids wilde meteen wegrijden, maar de motor startte niet. De leeuw kwam steeds dichterbij. Hij keek ons dreigend aan en brulde hard. Hij was vast van plan om ons aan te vallen. Een vrouw die bij ons in de auto zat, raakte in paniek. Ze wilde uitstappen en wegrennen. Gelukkig konden we haar tegenhouden. Even later sloeg de motor aan en gingen we er snel vandoor. De leeuw rende achter ons aan. Hij haalde ons bijna in. Tjonge, die leeuwen kunnen hard rennen, hoor.'

De meester stopt met vertellen.

'En toen? Vertel nou verder, meester!' roepen de kinderen.

21

'Ja, toen ben ik uit de jeep gesprongen. De leeuw kwam op mij af. Hij brulde met zijn bek wijd open. Ik stak mijn hand in zijn bek en trok hem zo binnenstebuiten. Toen heb ik hem een heel eind weggeslingerd.'

De hele klas begint te lachen.

'Dat is niet waar, meester', zegt Rian.

'Eh ... nee, dát is niet waar. Maar dat er een leeuw op ons af kwam was wel waar. Gelukkig was hij veel te lui om achter ons aan te rennen en konden we veilig wegrijden.'

Meester Sep kijkt op zijn horloge. 'O nee, het is al bijna tien uur. We hebben veel te lang gekletst. We moeten nodig aan het werk. Pak snel je liedboek, dan zingen we het lied van de week. En daarna ... rekenen!'

Als Wietse na schooltijd zijn fiets pakt, komen Erik en Robert-Jan naar hem toe.

'Zullen we vanmiddag bij jou komen spelen, Wietse? We willen graag foto's zien van Egypte. Van die krokodillen en zo.'

'Eh ... de foto's zijn nog in Friesland', zegt Wietse snel.

'O, nou, we kunnen ook gaan voetballen.'

'Nee, ik heb geen tijd vanmiddag. Ik moet mijn moeder helpen met verhuisdozen uitpakken, doei!' En weg is Wietse. De andere twee kijken hem stomverbaasd na.

Wietse rijdt zo hard hij kan de straat uit. Zijn gezicht is zo rood als een biet. Waarom zei ik dat nou van Egypte, denkt hij. Mijn tante Jantsje was in Egypte. Wij niet. Wij waren gewoon in Friesland ...

# 3. Ik mis je

Als Wietse net thuis is, gaat de telefoon. Dat zal mam wel zijn, denkt Wietse. Misschien moet ik een boodschap doen, of zo. Hij neemt op.

'Met Wietse.'

'Ha Wietse, met je vader! Hoe gaat het?'

'Pap!' roept Wietse blij. 'Ja, goed hoor.'

'Ben je al naar school geweest?'

'Ja, vandaag voor het eerst.'

'Hoe was het?'

'Gaat wel.'

'Gelukkig maar. Ik mis je wel hoor, Wietse.'

'Ik mis jou ook, pap', zegt Wietse schor. Er zit opeens een vervelende brok in zijn keel. 'Wanneer kom je nou terug?'

'Ik kom niet terug, jongen. Dat weet je toch wel?'

'Ja, maar ik vind het niet leuk. Je bent zo ver weg. Ik kan helemaal niet naar je toe. Ik wil je zo graag zien.'

'Dat begrijp ik. Maar het is echt beter zo, Wietse. Papa en mama maken elkaar alleen maar ongelukkig.'

'En ik dan?' roept Wietse. 'Nu ben ik ongelukkig.'

'Dat spijt me heel erg', zegt zijn vader.

Even blijft het stil. Maar dan zegt hij: 'Ik werk hier hard, Wietse. Als ik genoeg geld heb, stuur ik je geld voor een vliegticket. Dan kun je hier naartoe vliegen en een tijdje bij mij logeren. In de kerstvakantie of zo.'

'In de kerstvakantie pas? Dat duurt nog heel lang', zegt Wietse verdrietig.

'Dat is waar. Veel te lang. Maar zo'n ticket is duur. Dat heb ik niet zomaar bij elkaar gespaard. Je moet echt even geduld hebben.

Nou, ik moet weer aan het werk, Wietse. Zul je goed je best doen op school?'

'Ja', zegt Wietse.

'Ik bel je gauw weer. Dag mijn jongen.'

'Dag pap', zegt Wietse. Tuut, tuut, tuut. De verbinding is verbroken.

Wietse slikt en slikt. Niet huilen, denkt hij. Huilen is voor baby's.

Opeens wil hij niet meer binnen blijven. Hij rent de trap af naar beneden, springt op zijn fiets en rijdt de straat uit naar het veldje. Hij crost over de zandheuvels en andere hindernissen achter op het veld en weer terug. Steeds harder en steeds weer opnieuw. Net zolang tot hij bijna buiten adem is. Dan gooit hij zijn fiets neer. Vlak bij de kastanjeboom die aan de rand van het veld staat. Maar nog is dat vervelende gevoel in zijn buik niet weg. In de verte hoort hij stemmen van de jongens uit de buurt. Die komen zeker voetballen, denkt Wietse. Maar ik heb geen zin in voetballen. Ik wil niemand zien.

Voordat de jongens het veld op komen is Wietse al in de kastanjeboom geklommen. Daar zit hij nu, op een dikke tak, tussen de grote bladeren. Helemaal alleen.

'Wietse, Wietse!'

Wietse gluurt door de bladeren van de boom naar beneden.

Yunus staat bij zijn fiets en kijkt zoekend rond. Wietse ziet dat Yunus naar de jongens loopt die aan het voetballen zijn. En dat hij iets vraagt. De jongens halen hun schouders op. Yunus loopt terug naar de fiets van Wietse.

'Waar is hij nou?' vraagt hij zich hardop af.

'Hier!' zegt Wietse, vanuit de boom.

Yunus kijkt achterom, maar ziet Wietse niet.

Wietse trekt een paar kastanjes van de tak boven hem. Hij mikt op Yunus. Mis! Nog een keer. Pats, op de schouder van Yunus. Oeps, op zijn hoofd.

'Auw!' roept Yunus en hij wrijft over zijn hoofd. Hij kijkt naar boven en ziet Wietse zitten.

'Hou op man!' roept hij. 'Wat doe je daar nou?' vraagt hij dan verbaasd.

'Zitten', zegt Wietse.

'Ik kom ook', zegt Yunus. Snel klimt hij in de boom en gaat op de tak naast Wietse zitten.

'Waarom zit je hier?' vraagt hij.

'Daarom', zegt Wietse.

'Dat is geen antwoord', vindt Yunus. 'Wat is er nou?'

'Niks', zegt Wietse.

'Was het niet leuk op school?'

'Best wel.'

'Heb je een aardige meester?'

'Ja, hij is aardig en grappig en een beetje streng.'

'En de klas?'

'Gaat wel. Behalve een jongen. Hij heet Merijn, die denkt dat hij leuk is, maar dat is hij dus niet.'

'Hoezo?'

'Nou, hij lachte me eerst uit om mijn naam. En toen omdat ik uit Friesland kom.'

'Nou en? Gewoon laten lachen.'

'Ja, lekker makkelijk', zegt Wietse.

'Denk je dat ze mij nooit uitlachen? Of uitschelden?'

'Jou?' vraagt Wietse verbaasd. 'Maar jij woont hier al heel lang!'

'Ja, maar mijn familie komt uit Turkije. Dat is toch anders. Ze lachen mij ook vaak uit omdat ik Yunus heet. En soms schelden ze me uit voor Turkie.'

'En wat doe je dan?'

'Meestal niks. Ik laat ze gewoon kletsen. Zij zijn dom, vind ik. Maar soms word ik kwaad en dan scheld ik keihard terug.'

Wietse knikt. Het blijft een hele tijd stil op de tak. Dan zegt Wietse:

'Mijn vader heeft gebeld. Hij vroeg hoe het was op school en zo.'

'Aardig van hem', zegt Yunus.

'Ja. Hij zei dat hij me mist.'

'Tja', zegt Yunus.

'Ik mis hem ook. Heel erg. Vroeger was het fijn. Ik ging vaak met hem zeilen op het Sneekermeer. We hadden altijd lol. Mijn vader kan heel goed zeilen. Hij deed ook mee aan wedstrijden en zo. Maar nu is hij weg. En hij komt niet meer terug, zegt hij.'

'Dat is balen', zegt Yunus. 'Heeft hij al iets ontdekt?'

'Iets ontdekt? Hoezo?'

'Nou, je vader is toch ontdekkingsreiziger?'

Wietse schiet in de lach. 'Nee joh, dat was een grapje. Mijn vader woont op Aruba. Daar is hij een zeilschool begonnen.'

'Op Aruba? Dat is ver weg! Daar kun je niet op de fiets naartoe.'
'Nee, alleen met het vliegtuig. Weet je wel hoe duur een vliegticket is? Dat kan ik echt niet betalen.'
'Dan moet je sparen', zegt Yunus.
'Van mijn zakgeld zeker. Ik krijg maar twee euro per week.'

'Of werken', bedenkt Yunus. 'Klusjes doen voor geld. In de winkel van mijn vader. Of voor mensen in de buurt.'

'Goed idee!' roept Wietse enthousiast.

'Ik help mee', zegt Yunus. 'Want ik ben je vriend. Ja toch?'

'Ja', zegt Wietse. 'Weet je nog meer klusjes om te doen?'

'Boodschappen doen voor buurvrouw Lievendag en eh ...'

'Auto's wassen', bedenkt Wietse.

'Lege flessen vragen en inleveren bij de supermarkt.'

'Honden uitlaten!'

'Of katten of konijnen', zegt Yunus enthousiast.

'Whaha, die kun je niet uitlaten!' lacht Wietse.

'Eh ... schoenen poetsen', zegt Yunus.

'De stoep vegen!' zegt Wietse.

'Ramen lappen', zegt Yunus.

'Kastanjes verkopen!' roept Wietse.

'We worden rijk!' brult Yunus.

Daar moeten ze allebei zo om lachen dat ze bijna van de tak vallen.

# 4. Güle güle!

'**G**a je mee naar mijn huis?' vraagt Yunus. 'Mijn moeder heeft dadeltaart gebakken.'

'Is dat lekker?'

'Dat is heel lekker', zegt Yunus.

Ze klimmen uit de boom en lopen naar de winkel.

De vader van Yunus is klanten aan het helpen. Yunus en Wietse steken hun hand op.

'Dag pap', zegt Yunus.

'Dag meneer', zegt Wietse. Daarna lopen ze snel door naar de kamer achter de winkel. Voordat ze naar binnen gaan doet Yunus zijn schoenen uit.

'Jij ook', zegt hij tegen Wietse.

'Waarom?' vraagt Wietse verbaasd.

'Dat doen wij altijd', zegt Yunus.

Wietse doet zijn schoenen uit en loopt achter Yunus de kamer in.

De kamer is groot. Er staan twee zitbanken in en een lage tafel. Op de vloer ligt een dik tapijt. Een mevrouw met een hoofddoek om komt uit de keuken. Ze lacht als ze Yunus en Wietse ziet.

'Dag mam', zegt Yunus. 'Dit is nou Wietse.'

'Dag mevrouw', zegt Wietse. Hij geeft haar een hand.

'*Merhaba*', zegt ze vriendelijk. 'Kom zitten. Lust je dadeltaart?'

'Ik denk het wel', zegt Wietse.

De moeder van Yunus gaat naar de keuken.

Een meisje met een lange, zwarte paardenstaart komt de kamer in. Als ze Wietse ziet, kijkt ze hem nieuwsgierig aan.

'Hoi!' zegt ze en ze glimlacht naar Wietse. Er komen twee kuiltjes in haar wangen.

'Dat is Meryem, mijn zus', zegt Yunus.

'Hoi', zegt Wietse.

'Ben jij Wietse van boven de winkel?'

'Ja', zegt Wietse.

'Jij komt uit Friesland, hè? Vind je het leuk, hier? Ben je al naar school geweest? Naar welke school ga je? Is het een leuke school?'

'Eh ...' begint Wietse. Hij weet even niet op welke vraag hij het eerst antwoord moet geven.

'Dat is nou Meryem,' zegt Yunus, 'ze ratelt maar door. Niks van aantrekken, Wietse. Gewoon laten kletsen.'

'Ik mag toch wel wat vragen?' zegt Meryem beledigd.

'Ik zit op *De Morgenster*', zegt Wietse.

'Ik zit in de derde klas van de havo.'

'Meryem kan goed leren', zegt Yunus. En hij kijkt alsof hij best trots is op zijn zus.

'Ja, ja, nu slijmen hè?' zegt Meryem en geeft Yunus een por. 'Nou doei, ik ga huiswerk maken.'

*'Güle güle'*, zegt Yunus, terwijl zijn zus de kamer uitloopt.

'Wat zeg jij nou?' lacht Wietse.

*'Güle güle'*, zegt Yunus. 'Dat is Turks. Het betekent: doei!'

Yunus' moeder komt uit de keuken met twee bordjes met dadeltaart.

'Lekker', zegt ze tegen Wietse. 'Proef maar.'

Wietse proeft.

'Mmmm,' zegt hij, 'lekker zoet.'

Yunus' moeder lacht en laat de jongens weer alleen.

'Als de taart op is, gaan we mijn vader vragen of hij werk voor ons heeft', zegt Yunus.

'Goed', zegt Wietse en hij eet vlug de rest van de taart op.


In de winkel is het nog steeds druk. En als Yunus' vader klanten helpt, mag Yunus niets vragen. Ze moeten dus even wachten.

De vader van Yunus ziet hen staan.

'Hé jongens,' zegt hij, 'willen jullie mij helpen? In het magazijn staan dozen met groente en fruit. Die moeten in de winkel. Willen jullie dat doen? En alles netjes bijvullen? Ik kom er maar niet aan toe. Het is zo druk.'

'Goed pap', zegt Yunus. 'Ja goed, meneer', zegt Wietse.

De vader van Yunus kijkt heel verbaasd. Meestal moet hij het een paar keer vragen voor Yunus hem wil helpen. En nu gaan ze meteen aan het werk. Maar tijd om daarover na te denken heeft hij niet. De volgende klant is aan de beurt.

Wietse en Yunus slepen de dozen naar de winkel. Aubergines, courgettes, tomaten, appels, sinaasappels. Ze leggen alles keurig netjes in de schappen.

'Goed gedaan', zegt Yunus' vader even later. Hij wil Wietse en Yunus allebei een appel geven voor de moeite.

'We hebben liever geld', zegt Yunus. Zijn vader trekt een rimpel in zijn voorhoofd.

'Wat krijgen we nou?' zegt hij.

'We gaan sparen', zegt Yunus. Hij legt uit waar het geld voor is.

'Ah, ik begrijp het', zegt zijn vader. Hij geeft Wietse en Yunus allebei vijftig eurocent.

Yunus geeft zijn geld aan Wietse.

'Waar zal ik het in bewaren?' Wietse kijkt om zich heen.

'Je moet het op een speciale plek verstoppen', zegt Yunus.

'Ik weet het al', zegt Wietse. 'Ik doe het in de Friese klomp, naast de deur, boven aan de trap.

'Goed plan', vindt Yunus. Ze lopen meteen de winkel uit, naar het huis van Wietse. Even later ligt het geld veilig in de klomp.

Dan vraagt Yunus: 'Heb je nog even tijd?'

Wietse kijkt op zijn horloge.

'Over een halfuur moet ik naar huis', zegt hij.

'Dan kunnen we mooi nog even naar buurvrouw Doornbos. Ze woont op nummer zeventien. Buurvrouw Doornbos heeft een hond. Ik hoor hem vaak blaffen. Misschien mogen we hem uitlaten. Dat kan makkelijk in een halfuur.'

'Oké, ik ga mee', zegt Wietse.

Ze bellen aan op nummer zeventien. Een luid geblaf klinkt vanuit de gang. Even later is het stil. Sloffende voetstappen gaan naar de deur. Mevrouw Doornbos doet open.

'Dag jongens', zegt ze vriendelijk.

'Dag mevrouw, wij willen graag geld verdienen', zegt Wietse.

'Daarom doen we klusjes voor mensen in de buurt', legt Yunus uit. 'Mogen we misschien uw hond uitlaten?'

'Mijn hond?' vraagt mevrouw Doornbos verbaasd. 'Ik heb helemaal geen hond.'

'Jawel toch? We hoorden hem net nog', zegt Yunus.

Mevrouw Doornbos schiet in de lach.

'Dat is de bel, de hond zit in de bel om gemene mensen af te schrikken. Ik woon alleen en dan moet je erg oppassen dat mensen niet zomaar je huis binnenkomen.'

Wietse en Yunus knikken. Maar ze kijken alsof ze mevrouw Doornbos nog steeds niet geloven.

'Druk nog maar eens op de bel', zegt die. Wietse drukt op de bel. Meteen klinkt er een oorverdovend geblaf. Alsof er een beest van een hond de gang in komt rennen.

'Het is echt waar', lacht Wietse. 'De hond zit in de bel. Het is een belhond.'

'Of een hondbel!' roept Yunus.

'Dag jongens', zegt mevrouw Doornbos, terwijl ze de deur weer dicht doet.

'Dag mevrouw.'

Wietse en Yunus lopen terug naar de winkel.

'Dat was pech', vindt Yunus.

'Ja, dikke pech, maar nu moet ik naar huis, Yunus. Morgen beter.'

'Veel beter', lacht Yunus. 'Tot morgen!'

# 5. Applaus voor Wietse

'Vanmorgen zingen we eerst het lied van de week', zegt meester Sep. Hij pakt zijn gitaar en speelt het lied nog een keer voor. Wietse drumt mee, met twee potloden uit zijn etui. Meester Sep stopt met spelen en kijkt naar Wietse.

'Wietse, houd eens op met dat getik!'

Wietse schrikt. Hij legt meteen de potloden neer.

'Zing allemaal mee', zegt de meester. De klas zingt. Wietse ook, maar als vanzelf slaat hij de maat mee met zijn handen op de rand van zijn tafel.

'Wietse,' zegt meester Sep, 'houd daarmee op! Je moet zingen, niet drummen.'

Oef, denkt Wietse, nu moet ik oppassen. Ik wil geen straf of nablijven vanmiddag. Na schooltijd moet ik werken en geld verdienen. Misschien mogen we de auto van de overbuurman wassen. En dan poets ik heel hard tot hij glimt. Dan krijgen we vast wel een euro. Of twee!

'Wietse!' zegt meester Sep. 'Nu zit je weer te dromen. Wat is er met je, vanmorgen?'

Alle kinderen kijken naar Wietse.

'Sorry meester', zegt Wietse vlug.

Na het lied vertelt de meester een verhaal over Simson. Een grote man met lange haren. Hij is zo sterk als een beer. Nee, nóg sterker. Als hij kwaad wordt kun je maar beter maken dat je wegkomt.

Meester Sep vertelt dat de mensen Simson vastbinden met zeven sterke touwen. En dat hij ze kapot trekt alsof het dunne draadjes zijn. De kinderen zijn muisstil onder het verhaal. Het is ook zo spannend. Die Simson is de sterkste man van de wereld. Hoe zou dat aflopen?

'Dat vertel ik de volgende keer', zegt de meester.

'Ach, toe nou meester. Vertel nou verder!' roept Robert-Jan.

'Morgen', zegt meester Sep. 'Nu is het tijd voor taal.'

Na de taalles heeft de meester een verrassing.

'We gaan naar het gymlokaal', zegt hij. 'Daar is iemand van de muziekschool. Hij gaat ons iets vertellen over muziekinstrumenten en muziek maken. Wietse, dat lijkt me echt iets voor jou.'

'Ja, gaaf!' zegt Wietse enthousiast.

Alle kinderen willen meteen de klas uitrennen naar het gymlokaal.

'Ho!' roept meester Sep. 'Rustig lopen. De andere klassen zijn aan het werk.'

In het gymlokaal staan een drumstel en allerlei andere muziekinstrumenten. Een meneer is zachtjes aan het drummen. Daar wordt Wietse heel vrolijk van. Hij gaat snel vooraan zitten en drumt mee met zijn handen op zijn knieën.

'Cool hè?' zegt hij tegen Erik, die naast hem zit.

'Echt wel', zegt Erik. 'Ik wou dat ik ook kon drummen. Maar het lijkt me best moeilijk.'

'Valt wel mee', zegt Wietse.

'Hoe weet jij dat nou?' vraagt Merijn, die achter Wietse zit.

'Ik heb al twee jaar les,' zegt Wietse. 'En ik kan het heel goed.'

'Echt niet', zegt Merijn.

'Echt wel', zegt Wietse.

'Je zit gewoon te liegen', zegt Merijn. 'Ik geloof je toch niet.'

'Moet jij weten', zegt Wietse.


'Goeiemorgen allemaal', zegt de meneer van de muziekschool. 'Ik ben Wouter en ik geef muziekles. Vanmorgen ga ik jullie een aantal muziekinstrumenten laten zien en horen.'

Wietse en de andere kinderen vinden het prachtig. Wat kan die Wouter op veel instrumenten spelen, denkt Wietse bewonderend.

Wouter speelt op een dwarsfluit. Hij blaast op een grote tuba en speelt een vrolijk liedje op de trompet. Hij laat horen dat een groter instrument een veel lagere toon heeft.

'Wie wil het ook eens proberen?' vraagt Wouter.

'Ik!' roept Merijn. 'Makkelijk!'

Wouter geeft hem de trompet.

'Ga je gang', zegt hij.

Merijn blaast en blaast. Zijn wangen staan bol, zijn gezicht wordt vuurrood. 'Pie-iep', klinkt het.

'Harder blazen!' roept Wietse.

Merijn blaast nog harder. Maar het helpt niet.

'Whahaa', lachen de kinderen. 'Je kunt er niks van, Merijn.'

Merijn kijkt kwaad.

'Kijk, Merijn, zo moet je blazen.' Wouter doet het voor.

Merijn probeert het nog een keer. En ja hoor, er komt geluid uit de trompet.

'Applaus!' roept Wouter en alle kinderen klappen. Merijn loopt stoer terug naar zijn plaats.

Wouter gaat achter het drumstel zitten. Hij legt uit dat een drumstel eigenlijk een heel stel instrumenten bij elkaar is. En dat elke trom zijn eigen geluid heeft. Hij slaat hard op de bekkens, laat horen hoe de grote trom klinkt en hoe je verschillende ritmes kunt spelen.

Daarna krijgt iedereen een ritme-instrument. Sambaballen, bellenstokjes, houten blokjes en nog meer. Wouter speelt op het drumstel en de kinderen mogen meedoen. Het klinkt nog goed ook!

Als Wouter stopt vraagt hij: 'Kan iemand van jullie ook drummen?'

'Hij', wijst Merijn. 'Wietse zegt dat hij heel goed kan drummen.'

'Echt niet!' schrikt Wietse.

'Echt wel', zegt Merijn pesterig.

'Zit jij op drumles?' vraagt Wouter.

Wietse krijgt een kleur.

'Ja, vroeger in Friesland', zegt Wietse.

'Laat eens horen', zegt Wouter.

'Maar ik heb al een hele poos niet gedrumd!' zegt Wietse.

'Je verleert het zomaar niet, hoor Wietse. Kom op, ik wil graag horen wat je kunt.'

'Wietse, Wietse!' roepen alle kinderen.

Nu moet Wietse wel.

Hij staat op en gaat achter het drumstel zitten. Wouter geeft hem de trommelstokken aan.

'Zet hem op, Wietse', zegt hij.

Het wordt stil in het gymlokaal.

Wietse haalt diep adem en begint te drummen. Eerst nog zacht, maar als de kinderen meeklappen gaat hij helemaal los.

'Wauw, wat goed!' roept iedereen. Wietse krijgt een enorm applaus.

'Je moet echt doorgaan met drummen, Wietse. Je hebt talent. Kom maar eens langs op de muziekschool', zegt Wouter.

'Ja, goed', zegt Wietse verlegen. Dan loopt hij snel terug naar zijn plek.

Meester Sep bedankt Wouter voor de leuke muziekles. De kinderen gaan terug naar de klas.

Daar wil iedereen met Wietse praten. 'Wat kun jij goed drummen zeg!' zeggen ze enthousiast. 'Dat was echt heel cool. Heb je ook een drumstel? Ga je later bij een band spelen? Moet je doen, je bent echt goed!'

Wietse krijgt het er warm van.

Als ze terug zijn in de klas begint de rekenles.

'Pak nu je rekenboek en je schrift,' zegt meester Sep, 'maak alle sommen van bladzijde acht.'

Alle kinderen gaan aan het werk. Wietse ook. Terwijl hij aan de eerste som begint, móet hij nog even drummen. Met zijn voeten op de grond. Wat was dát cool, denkt hij. Ze vonden me echt heel goed! Zelfs Merijn heeft geklapt. Wat zal papa zeggen als ik het vertel? Ik hoop maar dat hij snel weer belt. Zal hij trots op me zijn? Ik wou dat hij het had gezien. En dat hij het had gehoord. En dat ... Opeens is daar weer die nare knoop in zijn maag. Het duurt vast nog heel lang voor ik papa weer zie, denkt hij. Zijn vrolijke bui is helemaal verdwenen. En nu moet hij ook nog die stomme sommen maken. Bah!

# 6. Hij begon!

Als Wietse 's middags na schooltijd naar het fietsenhok loopt, roept iemand hem achterna.

'Wietse, Wietse!'

Wietse draait zich om. Het is Merijn.

'Ga je mee voetballen?' vraagt hij.

Verbaasd kijkt Wietse hem aan.

'Nee, ik hou niet van voetballen', zegt hij.

'We kunnen ook iets anders doen', houdt Merijn aan. 'Kun jij me leren drummen? Ik vraag voor mijn verjaardag een drumstel en dan kan ik het alvast.'

'Zo makkelijk is het niet, hoor', zegt Wietse.

'Hoezo? Je slaat gewoon met een paar stokken op een trom. Dat lijkt me niet zo moeilijk.'

'Nou, ik kan toch niet, want ik heb geen tijd', zegt Wietse.

'Geen tijd? Waarom niet?'

'Ik moet werken', zegt Wietse, zonder verder na te denken.

'Werken? Jij? Ja, dat zal wel. Waar werk je dan?' vraagt Merijn.

'In de winkel van de vader van Yunus.'

'Wat is dat voor winkel?'

'Gewoon, een Turkse winkel.'

'Een Turkse winkel? Ben jij vrienden met een Turk?'

'Ja en?' vraagt Wietse.

'Woont die bij jou in de buurt?'

'Ja. Hij woont achter de winkel van zijn vader en wij wonen boven de winkel.'

'In welke straat woon je dan?'

'Lekker belangrijk', zegt Wietse. Maar Merijn wacht op een antwoord.

'In de Jan van Galenstraat.'

'In de Jan van Galenstraat? Daar zou ik echt niet willen wonen', zegt Merijn.

'Hoezo niet?'

'Dat is een achterbuurt. Ze zeggen dat daar criminelen wonen.'

'Criminelen?'

'Ja, boeven en dieven en zo. Houd die Yunus maar goed in de gaten.'

'Wat? Ben je wel goed bij je hoofd?' Wietse geeft Merijn een harde duw.

'Ik wel, maar jij niet!' roept Merijn nu ook kwaad en geeft Wietse een duw terug. Dat laat Wietse niet op zich zitten. Hij schopt Merijn keihard tegen zijn schenen. Maar Merijn kan ook hard schoppen. En zo gaat het maar door. Even later rollebollen ze over het plein. Andere kinderen komen om hen heen staan.

'Wietse, Wietse!' roepen er een paar.

'Merijn, Merijn!' joelen anderen.

'Ophouden!' klinkt het opeens streng. Wietse en Merijn worden allebei in de kraag gepakt en op hun voeten gezet. Meester Sep kijkt heel kwaad.

'Hij begon!' huilt Merijn en wijst naar Wietse.

Wietse zegt niks. Woedend kijkt hij Merijn aan. Als meester hem loslaat wil hij er meteen weer op los meppen.

'Ophouden', zegt meester Sep. 'Mee naar binnen, alle twee.'

'Zitten', wijst de meester als ze in de klas zijn. 'Wat is er in vredesnaam met jullie aan de hand?'

'Hij begon', huilt Merijn weer.

'Jankerd', zegt Wietse.

'Waarom vechten jullie met elkaar?' vraagt de meester.

Merijn is stil. Wietse zegt ook niets.

Merijn kijkt naar zijn hand.

'Oooooh, ik bloed!' brult hij dan en hij wijst op een klein beetje bloed op zijn hand.

'Ja, daar moet een pleister op', zegt meester Sep. 'Kom mee, ik breng je naar juf Klaske. Hij draait zich om naar Wietse. 'En jij blijft daar zitten, begrepen?'

Wietse begrijpt helemaal niks. Hij is nog steeds woedend. Hoe komt die Merijn erbij dat Yunus slecht is. Hij kent hem niet eens. En dan geeft hij mij ook nog de schuld. Híj begon!

Wietse geeft uit kwaadheid zo'n harde duw tegen zijn tafel dat die omvalt. 'Stomme meester', moppert hij. 'Stomme school! Ik krijg altijd de schuld. Ik wou dat we nooit verhuisd waren. Ik wou dat we nog in Friesland woonden. Ik wou dat mijn vader er was, ik wou ...'

Deng, daar gaat een stoel ondersteboven. Wietse merkt niet dat de meester de klas weer in komt. Merijn is bij juf Klaske gebleven. Die weet alles van bloed en pleisters.

'Wat doe jij nou?' vraagt de meester aan Wietse. 'Ben je nu ook al aan het vechten met tafels en stoelen?'

Wietse zegt niets. Hij kijkt boos naar zijn schoenen. Hij wil wel praten, maar de woorden komen niet. Het stormt in zijn hoofd. En zijn keel zit dicht.

'Ik begin te denken dat ik het verhaal van Simson een beetje te spannend heb gemaakt vanmorgen. Het is niet de bedoeling dat je hem nadoet, hoor Wietse.'

Wietse kan er niet om lachen.

'Toe nou joh. Waarom ben je zo boos? Wat is er aan de hand?'

Maar Wietse zegt nog steeds niets.

'Blijf dan maar zitten. Ik wacht wel tot je weer wilt praten', zegt de meester.

Dan kunt u lang wachten, denkt Wietse kwaad.

De meester kijkt de schriften na. Haalt koffie en kijkt waar Merijn blijft.

'Merijn is naar huis', zegt hij als hij terugkomt. 'Hij had zo'n pijn, dat de juf hem heeft laten gaan. En jij, Wietse? Wil je al vertellen wat er is gebeurd?'

Wietse houdt zijn mond. De meester kijkt op zijn horloge. Halfvijf al. Hij wil nu toch ook wel naar huis.

'Je kunt gaan, Wietse, maar denk niet dat het hiermee klaar is. Morgen wil ik jou en Merijn spreken.'

Wietse maakt dat hij de klas uit komt.


Als hij zijn straat in fietst staat Yunus op hem te wachten.

'Waar was je nou?' vraagt hij. 'Ik sta hier al meer dan een uur te wachten. We zouden toch gaan werken? Dat hadden we af-gesproken. Ben je met iemand anders meegegaan? Dan had je dat weleens kunnen zeggen!'

'Ik was op school', zegt Wietse.

'Op school? Tot halfvijf. En dat moet ik geloven.'

'Echt waar. Ik moest nablijven.'

'Waarom?'

Wietse ziet dat Yunus' vader meeluistert.

'Kom mee', zegt hij tegen Yunus.

Samen lopen ze naar het veldje. Ze klimmen in de kastanje-boom. Daar kan niemand hen horen.

'Nou, vertel op. Waarom moest je nablijven?' vraagt Yunus.

'Ik heb gevochten met Merijn', zegt Wietse. 'Je weet wel, dat joch dat altijd denkt dat hij leuk is.'

'O die. En toen?'

'Nou, toen kwam de meester en moesten we naar binnen.'

'En toen?'

'Nou, toen moest ik vertellen waarom ik had gevochten. Maar ik wou niks zeggen, ik was veel te kwaad.'

'En toen?'

'Toen moest ik blijven zitten. Merijn mocht wel naar huis.'

'Waarom hij wel?'

'Het is een jankerd. Hij huilde dat zijn hand zeer deed. En toen mocht hij naar huis. Ik moest blijven. Na een uur was de meester het zat en toen mocht ik weg.'

'Verder geen straf?'

'Weet ik nog niet. Morgen praten we verder. Maar die Merijn krijg ik nog wel.'

'Ga nou niet weer vechten, Wietse. Anders zit je nog een middag op school. En dan kunnen we weer niet werken.'

'Ja, da's waar', knikt Wietse.

'Waarom heb je eigenlijk gevochten?'

'Ach, nergens om', zegt Wietse.

'Natuurlijk wel. Vertel nou.'

'Merijn vroeg waar ik woonde. Dus ik zei: in de Jan van Galen-straat. Hij zei dat hier alleen maar slechte mensen wonen. En dat Turken ook slechte mensen zijn.'

'Wat een sukkel', zegt Yunus.

'Dat vond ik nou ook. En daarom gaf ik hem een oplawaai.'

'Ik snap het', zegt Yunus.

'Je vertelt het niet aan mijn moeder, hoor.'

'Echt niet. Wat denk je wel.'

Wat moet ik nu morgen tegen de meester zeggen?' vraagt Wietse.

'Gewoon, de waarheid', zegt Yunus. 'En dan zeg je sorry tegen Merijn en dan is het klaar.'

'Denk je?' vraagt Wietse.

'Zeker weten', zegt Yunus.

'En toch was het een fijne dag', zegt Wietse opeens weer vrolijk. In geuren en kleuren vertelt hij over de muziekles. Over Wouter die op alle instrumenten kon spelen. En dat hijzelf mocht laten zien hoe goed hij kon drummen.

'Iedereen heeft geklapt', zegt hij trots. 'Ze vonden me zo cool, man!'

'Ik wou dat ik ook kon drummen', zegt Yunus een beetje jaloers. 'Of gitaarspelen. Dat lijkt me ook heel gaaf.'

'Dan moet je op les gaan', zegt Wietse. 'En als je het goed kunt, gaan we samen optreden. En dan worden we heel beroemd. En dan reizen we de hele wereld rond.'

'Yes! In ons eigen vliegtuig en onze eigen supergrote auto!' zegt Yunus.

De torenklok slaat vijf uur.

'Ik moet naar huis', zegt Wietse.

'Ik ook. Tot morgen!'

'Tot morgen!'

# 7. Hellúp!

De volgende ochtend gaat het op school precies zoals Yunus had gezegd. Wietse vertelt meester Sep waarom hij ging vechten.

'Ik begrijp dat je boos werd, Wietse', zegt de meester. 'Wat Merijn zegt over jouw straat en jouw vriend slaat nergens op. Het is dom en beledigend. Maar vechten kan ook niet. Dat wil ik dus niet meer zien.'

'Nee meester', zeggen Wietse en Merijn, zonder elkaar aan te kijken. Ze willen al op hun plaats gaan zitten, maar meester Sep is nog niet klaar.

'Ik vind dat je excuses moet aanbieden aan Wietse', zegt hij tegen Merijn. Merijn wil kwaad worden, maar de meester kijkt zo streng dat hij snel: 'Sorry Wietse', zegt.

'Ik vind ook dat jij sorry tegen Merijn moet zeggen, Wietse', zegt de meester.

'Sorry', zegt Wietse snel.

'Geef elkaar een hand en beloof me dat jullie niet weer gaan vechten.'

Wietse geeft Merijn een hand. Daarna lopen ze snel naar hun plaats. De rest van de dag gaat Wietse Merijn maar uit de weg. Hij wil niet nog een keer nablijven.

Na schooltijd gaan Wietse en Yunus meteen naar mevrouw Lievendag.

'Kunnen we misschien een boodschap voor u doen?' vragen ze.

'Wat aardig', zegt mevrouw Lievendag. 'Ik heb inderdaad nog boodschappen nodig. Wacht, ik schrijf het op een briefje. Als jullie even voor mij naar de bakker, de slager en de supermarkt willen, zou dat wel fijn zijn. Ik loop zo moeilijk, weet je. Willen jullie dat voor me doen?'

'Geen probleem, mevrouw Lievendag. Dat willen we wel', zegt Yunus.

Met een grote boodschappentas gaan ze op weg. Naar de bakker, de slager en de supermarkt. Onderweg komen ze Rian tegen. Zij moet ook een boodschap doen, voor haar moeder.

'Hoi Wietse', zegt ze.

'Hoi', zeggen Wietse en Yunus.

'Wie ben jij?' vraagt Rian aan Yunus.

'Hij is mijn broer', zegt Wietse met een serieus gezicht.

Ongelovig kijkt Rian van de een naar de ander. Ze schudt haar hoofd. 'Echt niet. Jullie lijken helemaal niet op elkaar.'

'Ik ben Yunus', zegt Yunus. 'Ik woon naast Wietse.'

'O, ik dacht al zoiets, wat gaan jullie doen?'

'Boodschappen', zegt Wietse.

'Voor buurvrouw Lievendag', voegt Yunus eraan toe.

'O, nou, ik ga. Zeg Wietse, breng je een keer de foto's van Egypte mee naar school? Met die krokodillen en zo? Ik wil ze graag een keertje zien. Dan neem ik foto's van Amerika mee, goed?'

'Eh ... j-ja hoor', stottert Wietse.

'Leuk! Doei!'

'Doei!'

'Aardig meisje', zegt Yunus tegen Wietse.

'Best wel', geeft Wietse toe.

'Ben je op d'r?'

'Doe niet zo gek!' Wietse geeft Yunus een por.

'Kan toch? Volgens mij vindt ze jou ook leuk', plaagt Yunus.

'Ja, daag', zegt Wietse en wil de winkel inlopen.

Yunus houdt hem tegen.

'Wat was dat nou met die foto's? Ben jij in Egypte geweest?'

'Nee hoor', zegt Wietse. 'Dat was een grapje van Rian.'

Yunus begrijpt er niets van, maar Wietse heeft geen zin om het uit te leggen. Hij is al in de supermarkt.

'Kom nou', roept hij naar Yunus. Snel halen ze de rest van de boodschappen.

Twintig minuten later staan ze weer bij mevrouw Lievendag voor de deur.

'Geweldig jongens', zegt ze. 'Dank je wel. Wacht even, dan krijgen jullie wat van me.'

Wietse en Yunus kijken elkaar aan.

'Wat zal ze geven?' fluistert Wietse. 'Allebei een euro?'

'Minstens', zegt Yunus.

Mevrouw Lievendag komt weer naar de deur.

'Alsjeblieft,' zegt ze, 'eet maar lekker op. Daag!' Ze doet de deur dicht.

Beteuterd staan Wietse en Yunus te kijken naar het pepermuntje in hun hand.

'Da's ook niet veel', zegt Yunus.

'Wel lekker', grinnikt Wietse. 'Waar gaan we nu heen?'

Yunus denkt na. 'Zullen we naar de dierenwinkel gaan? Die is twee straten verderop. Misschien hebben ze daar wel een klusje voor ons.'

'Is goed, maar dan zeggen we wel dat het geld kost', zegt Wietse.

In de dierenwinkel is het rustig. Meneer De Vries is bezig met vissen voeren. De parkieten en kleine papegaaitjes kwetteren er vrolijk op los. De cavia's liggen in hun hok. Lekker dicht tegen elkaar. Drie witte konijntjes springen rond in hun glazen bak. Af en toe gaan ze zitten en kijken nieuwsgierig rond. Kleine schildpadjes kruipen sloom op een tak of laten zich in een bak met water glijden. Een grote slang ligt helemaal opgerold in zijn terrarium.

'Wat een knoepert van een slang', zegt Wietse onder de indruk.

'Nou! Maar goed dat die bak dicht zit', vindt Yunus.

Meneer De Vries moet erom lachen. 'Hij doet niks hoor, het is een lief beest.'

'Vind ik ook', zegt Wietse. 'Zolang hij maar achter dat glas blijft.'

'Hij moet er zo uit', zegt meneer De Vries.

'Echt?' Wietse en Yunus doen van schrik een stap naar achteren.

'Ja, ik moet het glas van het terrarium schoonmaken. Maar vertel eerst maar eens waarmee ik jullie kan helpen.'

'Wij komen ú helpen', zegt Wietse.

'Ja, wij willen graag klusjes doen voor geld', legt Yunus uit.

'Voor geld? En waar is dat geld dan voor?'

'Voor eh ... voor een goed doel', zegt Wietse.

'Dan is het goed', knikt meneer De Vries. 'Nou, jullie komen precies op tijd. Vandaag maak ik de bakken van de dieren schoon. De bak van de cavia's is al klaar. En de vogelkooien ook. Ik moet alleen het terrarium nog en de bak van de konijnen. Willen jullie het terrarium doen?'

'Mooi niet!' schrikken Wietse en Yunus.

'Als de slang eruit is, natuurlijk', lacht meneer De Vries.

'Dan durf ik wel', zegt Wietse.

'Ik ook wel, geloof ik', aarzelt Yunus.

Meneer De Vries pakt een mand met een deksel erop. Hij doet het deksel eraf en loopt naar het terrarium. Hij maakt het terrarium open. De slang blijft onbeweeglijk liggen. Toch gaan Wietse en Yunus voor de zekerheid nog maar een stukje verder achteruit.

Meneer de Vries port met een stok tegen het lijf van de slang. Nu wordt de slang wakker. Hij tilt zijn kop op. Meneer De Vries pakt de slang bij de kop en de staart en tilt hem uit het terrarium. Hij laat de slang voorzichtig in de mand zakken en doet snel het deksel erop.

'Zo, die zet ik even hier neer, dan kan er niets gebeuren', zegt hij. 'De slang gaat weer slapen en jullie kunnen het glas rustig schoonmaken.' Meneer De Vries geeft Wietse een emmer met sop en een spons en Yunus een zeem.

'Poetsen maar', zegt hij.

Wietse pakt een kleine trap, die in de winkel staat. Hij klimt erop. Zo kan hij gemakkelijk bij de binnenkant van het glas.

'Geef de spons eens aan, Yunus', zegt hij. Yunus geeft hem de spons.

'Nee, niet zo, eerst nat maken natuurlijk', zegt Wietse.

'O, sorry', zegt Yunus en maakt de spons nat in de emmer. Intussen kijkt hij met een schuin oog naar de mand met de slang. Gelukkig, het deksel zit er nog op.

Wietse poetst het raam helemaal schoon.

'Nu jij', zegt hij tegen Yunus.

Yunus pakt de zeem, klimt op de trap en maakt de glazen wand droog. Even later staat hij weer met beide voeten op de grond.

'Nu de buitenkant, Wietse', zegt hij.

Wietse pakt de spons, maakt hem flink nat en gooit hem naar Yunus. 'Vang!' roept hij. Yunus springt opzij en weert de spons nog net op tijd af. Zijn voet stoot tegen de mand met de slang. Het deksel glijdt er een stukje af.

'Hè jongens, werken, niet spelen', waarschuwt meneer De Vries.

Hij loopt naar het magazijn achter de winkel om schoon stro voor de konijnen te halen.

Wietse maakt nu de buitenkant van het terrarium schoon. Yunus zeemt alles weer netjes droog.

De jongens doen een stap achteruit en bekijken hun werk.

'Keurig', vinden ze.

'De slang kan er weer in', zegt Yunus en hij draait zich om naar de mand.

'O nee!' schrikt hij en wijst achter zich.

Wietse kijkt ook.

De slang is al bijna helemaal uit de mand gekropen. Langzaam glijdt hij over de vloer van de winkel in de richting van Wietse en Yunus.

'Yunus, doe iets!' zegt Wietse bang.

'Ik kijk wel uit', zegt Yunus. 'Straks vreet hij me op.'

'Ik wil hier weg', fluistert Wietse. Hij durft niet eens meer hardop te praten.

'Ik ook,' fluistert Yunus terug, 'waar moeten we heen?'

Ze kijken elkaar aan en roepen dan hard: 'Help! Hellup!'

De slang richt zijn kop op en wiegt heen en weer. Dan laat hij zijn kop weer zakken en glijdt verder. Om een zak met vogelvoer, langs een stapel kattenmanden en omhoog langs de kast waar de glazen bak met de konijnen op staat. Telkens schiet zijn tong uit zijn bek, alsof hij daarmee kan kijken of er ergens een lekker hapje in de buurt is.

'Nee, niet naar de konijnen! Weg, ksst, ksst!' doet Wietse.

Gelukkig, de slang laat zich weer op de vloer zakken. Nu glijdt hij verder, recht naar de schoenen van Wietse en Yunus.

'Meneer De Vries! Hellup!' roept Yunus. Zijn ogen zijn groot van angst.

'De trap', wijst Wietse. Snel klimmen ze het trapje op. Ze kunnen maar net met z'n tweeën op de bovenste tree staan. Ze houden elkaar goed vast. Daar komt de slang. O, als hij nou maar niet de trap opkomt ...

'Meneer De Vrie-hies!'

'Wat is er aan de hand?' roept meneer De Vries vanuit het magazijn.

'De s-slang!' bibbert Wietse.

'Hij vreet ons op', roept Yunus angstig.

Meneer De Vries komt de winkel in.

'Hoe komt die nou hier?' vraagt hij. 'Hebben jullie het deksel van de mand afgehaald?'

'Echt niet!' zeggen Wietse en Yunus tegelijk.

Meneer De Vries pakt de slang bij de kop en de staart en tilt hem op.

'Wat ben je nou aan het doen, grote paling?' zegt hij tegen de slang. 'Die jochies krijgen de bibbers van jou, dat zie je toch wel?'

De slang kronkelt een beetje.

'Jullie hoeven echt niet bang te zijn, hoor jongens. Hij doet niks, eerlijk niet', zegt meneer De Vries. 'Kom maar hier en aai hem maar.'

'Dat dacht ik niet', zegt Wietse en wurmt zich achter Yunus. Yunus zelf durft helemaal niets te zeggen.

'Toe maar, ik houd hem vast en ik laat hem niet meer los. Kom op nou, zijn jullie stoere kerels of niet?' zegt meneer De Vries.

Wietse en Yunus steken allebei hun wijsvinger uit en raken heel snel de slang aan. Ieuw, wat koud voelt dat!

'Dat is niet aaien', zegt meneer De Vries. 'Nog een keer.'

Wietse haalt diep adem. Hij aait voorzichtig met zijn hand over de slang. Nu durft Yunus ook. De slang voelt koud en ruw aan. Heel anders dan je zou denken.

'Goed zo.' Meneer De Vries legt de slang voorzichtig in zijn terrarium en doet het deksel dicht.

'Jullie zijn geen helden, maar het glas van het terrarium is mooi schoon', prijst hij. 'Als jullie nu nog dat stro in de bak van de konijnen willen doen, en de emmer met spons en zeem

opruimen, krijgen jullie van mij elk een euro.'

'Cool!' Wietse en Yunus doen wat meneer De Vries heeft gevraagd. Even later staan ze buiten met elk een euro in de hand. Eerlijk zelf verdiend. Ze rennen naar huis en doen het geld in de klomp. Nu zit er al drie euro in.

'Zo gaat het goed', zegt Yunus tevreden.

'Er moet nog veel meer bij', zegt Wietse.

'Komt wel', zegt Yunus. 'Maar vandaag niet. Ga je mee fietsen?'

Als Wietse 's avonds in bed ligt, denkt hij aan de afgelopen dag. Er zit nu al drie euro in de klomp, denkt hij. Dat is al best veel, maar nog lang niet genoeg. Een ticket kost wel een paar honderd euro. Hoe krijgen we dat ooit bij elkaar? Dan moeten we nog wel een jaar werken. Misschien nog wel veel langer. Zolang kan ik papa niet missen!

De tranen springen Wietse in de ogen. Hij kijkt naar de foto van zijn vader, die op zijn nachtkastje staat. Een vrolijk lachende papa kijkt terug. Opeens voelt Wietse zich boos worden.

'Waarom ging je nou weg?' fluistert hij tegen de foto. 'Waarom bleef je niet bij ons? En waarom moest je nu zo nodig naar Aruba. Nu kun je ons nooit meer zien! Nou, dan wil ik jou ook niet meer zien!' zegt hij kwaad en hij mept de foto ondersteboven. Hij draait zich om en kruipt diep onder zijn dekbed.

Maar de slaap komt niet. Na een uur woelen en draaien gaat Wietse weer overeind zitten. Hij zet de foto van zijn vader weer rechtop. 'Ik meende het niet, hoor pap', zegt hij. 'Ik wil je juist heel graag zien. En dat zal me lukken. Let maar op!'

Dan gaat hij weer liggen en valt hij bijna meteen in slaap.

# 8. Er varen boten over de weg

'Wie wil er iets vertellen?' vraagt meester Sep de volgende morgen.

Wietse steekt meteen zijn vinger op. Hij vertelt over het avontuur in de dierenwinkel van meneer De Vries. Alle kinderen luisteren naar hem. Ze vinden het vreselijk spannend. Vooral als Wietse vertelt dat de slang steeds dichterbij kwam.

'En toen?' vragen ze. 'Ben je hard weggerend, Wietse?'

'Ikke niet', zegt Wietse stoer. 'Ik heb de slang net onder de kop vastgepakt en teruggezet in het terrarium.'

'Wauw!' zegt Rian. 'Wat stoer van je, Wietse.'

'Dat zou ik nooit durven', zegt Robert-Jan.

'Ik was allang buiten geweest', zegt Erik.

'Het was een makkie', zegt Wietse stoer.

Iedereen vindt het een geweldig verhaal. Bewonderend kijken ze naar Wietse.

'Weet je wat nou zo raar is?' zegt meester Sep. 'Ik heb gistermiddag hetzelfde verhaal gehoord. Het was alleen een beetje anders.'

Wietse kijkt verbaasd naar de meester. Waar heeft hij het nou over?

'Ik heb een hond', zegt meester Sep. 'Het is een herdershond en hij heet Daaf.'

'Whaha, Daaf', lachen alle kinderen. 'Dat is toch geen naam voor een hond?'

'Eigenlijk heet hij David', zegt de meester.

'Dat is ook raar', vindt Rian.

'Niet voor een herdershond', zegt de meester. 'Daaf is ook niet zomaar een hond. Hij is heel bijzonder. Over een jaar gaat hij leren voor blindengeleidehond.'

'Echt?' Daar is Rian even stil van.

Nou en? denkt Wietse. Wat heeft dat nou met de dierenwinkel te maken?

Meester Sep legt het uit: 'Het voer voor Daaf haal ik altijd in de dierenwinkel van meneer De Vries. Hij vertelde mij over twee jongens, die hem hebben geholpen in de winkel. En die heel bang waren voor een ontsnapte slang. Ze stonden op een trap en riepen heel hard om hulp. Meneer De Vries zei: 'Ik heb de slang maar snel bij de kop en de staart gepakt en teruggezet in het terrarium.'

'Oh!' roept Merijn. 'Wat kun jij liegen, Wietse!'

'Volgens mij was Wietse een beetje aan het fantaseren.' Meester Sep geeft Wietse een knipoog. 'Fantaseren doen we allemaal weleens. Een verhaal mooier maken dan het eigenlijk is.'

'Het is toch liegen', vindt Merijn.

'We hebben de slang wel echt geaaid', zegt Wietse.

'Dat is waar. Dat heeft meneer De Vries ook gezegd. Hij vond het heel stoer dat jullie dat durfden. De meeste kinderen lopen altijd hard weg, zei hij. Zo, en nu aan het werk. Tijd voor aardrijkskunde.'

Het wordt rustig in de klas. Meester Sep vertelt over grote vrachtauto's, die spullen vervoeren in Nederland en naar het buitenland.

'Niet alleen vrachtauto's vervoeren vracht', zegt de meester.

'Zand en grind gaan met de boot. Kijk maar.'

Op het digitale schoolbord laat meester Sep foto's zien van vrachtboten met zand en grind. Ze varen over de grote rivieren door Nederland. Wietse steekt zijn vinger op.

'Bij ons in Friesland varen de boten over de weg, meester', zegt hij.

'Niet waar', zegt Erik. 'Je bent weer aan het fantaseren, Wietse.'

'Hoe verzin je het?' vraagt Robert-Jan verbaasd.

'Nu lieg je wel, Wietse', zegt Rian.

'Het is echt waar', zegt Wietse.

'Wietse heeft gelijk', zegt de meester. 'Ik heb er zelfs een filmpje over.' Hij laat de kinderen zien hoe auto's en vracht-wagens over een snelweg rijden. In de verte is een viaduct. De weg gaat een heel eind naar beneden onder het viaduct door. En boven op het viaduct zien ze de mast van een zeilboot.

'Hoe kan dat nou?' vraagt Merijn.

'Leg jij het maar uit, Wietse', zegt de meester.

'Dat viaduct is een aquaduct', wijst Wietse. 'Het is geen weg, maar water. De weg gaat onder het water door. En de boten varen dus over de weg.'

'Heel goed', zegt de meester. 'Heb jij wel eens gevaren, Wietse?'

'Zo vaak. Met mijn vader. In een zeilboot. Mijn vader kan heel goed zeilen.'

'Zeilen jullie altijd in Friesland?'

'Ja, maar nu niet meer, want mijn vader woont in een ander land.'

'Ach ja, dat is waar ook', zegt meester Sep. Dan vertelt hij verder over grote schepen die de hele wereld over varen.

Wietse droomt een beetje weg.

Stel je voor dat ik mee mocht op zo'n schip, denkt hij. En dat we helemaal naar het land van mijn vader zouden varen. Wat zou hij opkijken als ik daar opeens aan wal stapte. Ik mocht vast wel bij hem blijven. Misschien wel voor altijd. Dat zou gaaf zijn. Of eigenlijk ook niet. Want dan zou ik mijn moeder weer missen. Wietse zucht. Best lastig, hoor, als je vader en moeder niet bij elkaar wonen. Ik kan toch beter een beroemde drummer worden, bedenkt hij. En de wereld rondreizen en onderweg mijn vader en moeder opzoeken.

Na schooltijd loopt Wietse met Erik naar het fietsenhok. Wietse wil snel zijn fiets pakken en naar huis rijden.
'Ik heb een heel gaaf computerspel', zegt Erik tegen Wietse. 'Zullen we vanmiddag bij mij thuis gaan spelen?'
'Sorry, geen tijd', zegt Wietse. 'Ik moet werken.'
'Werken?'
'Ja, ik doe klusjes voor de mensen in de buurt. Het is voor een goed doel.'
'O', zegt Erik. Hij weet niet wat hij ervan moet denken. Staat Wietse nu weer te fantaseren? 'Een andere keer dan?' vraagt hij.
'Is goed', zegt Wietse. Hij stapt op zijn fiets en rijdt snel weg want Yunus staat vast al op hem te wachten.
Als Wietse de Jan van Galenstraat in fietst is Yunus er nog niet. Daarom gaat hij eerst naar huis om iets te drinken.
'Tringg!' Telefoon.
'Met Wietse.'
'Ha Wietse, met mij. Ik heb heel even tijd, dus ik dacht: ik bel Wietse.'
'Ha pap', zegt Wietse blij. 'Ik dacht net aan je. Hoe gaat het?'

'Goed hoor. En met jou?'

'Ook goed.'

'Heb je al vrienden?'

'Ja, Yunus. Hij woont naast ons.'

'Wat fijn. Wat doen jullie allemaal?'

'Fietsen en crossen op het veldje achter onze straat.'

'Doe je wel voorzichtig?'

'Tuurlijk.'

'Houdt Yunus ook van drummen, net als jij?'

'Hij vindt drummen wel leuk, maar hij kan het niet. Misschien gaat hij later wel op gitaarles.'

'Gaaf', zegt zijn vader. 'Wat doen jullie nog meer?'

'Werken.'

'Werken?'

'Ja, voor een goed doel.'

'Een goed doel?'

'Voor een vliegticket naar jou.'

'Wauw, wat een goed idee, Wietse. Nu kunnen we samen sparen en dan gaat het veel sneller.'

'Precies, dat dacht ik nou ook', zegt Wietse. 'Maar eigenlijk heeft Yunus het bedacht. Hij helpt mee.'

'Wat doen jullie voor werk?'

'Gewoon, klusjes. Boodschappen doen. Auto's wassen. Een slangenhok schoonmaken in de dierenwinkel.'

'Huh? Een wát schoonmaken?'

'Een slangenhok. Een terrarium heet dat. Maar dat vertel ik nog wel een keer.'

'Wietse, vindt mama het ook goed dat je klusjes doet?' vraagt papa bezorgd.

'Ja hoor.'
'Je hebt toch wel tijd voor je huiswerk?'
'Genoeg! We krijgen niet veel huiswerk, gelukkig.'
'Ik hoor het al. Het gaat al veel beter met je. Daar ben ik blij om.
Nu moet ik gaan. Doe je mama de groeten?'
'Zal ik doen. Dag pap!'
'Dag Wietse.'

Wietse gaat naar buiten. Yunus staat al op de stoep.
'Wat gaan we doen?' vraagt Wietse.
'Naar meneer Kumar. Hij woont daar, aan het eind van de
straat. Ik ben er al geweest en heb gevraagd of we zijn auto
mogen wassen.'
'En?'
'Het mag.'
'Kom op dan', zegt Wietse.
Meneer Kumar heeft twee emmers water klaargezet. En ook
shampoo voor de auto.
'We zullen uw auto eens even lekker douchen, meneer Kumar.'
'Mooi zo. Kijk, ik heb de tuinslang hier aan de buitenkraan
vastgemaakt. Daarmee kunnen jullie de auto afspoelen. Wel
voorzichtig, hoor!'
'Natuurlijk', lacht Wietse. Hij begint meteen het dak van de
auto in te zepen.
'Lekker makkelijk, als je zo lang bent', zegt Yunus. 'Ik begin
met de voorkant.'
'Heel goed', zegt meneer Kumar. 'Ik ga naar binnen. Bel maar
als jullie klaar zijn.'
De jongens poetsen en boenen dat het een lust is.

'Volgens mij is hij zo helemaal schoon', zegt Wietse na een tijd.

'Alleen nog afspoelen', zegt Yunus. Hij pakt de tuinslang en draait de kraan open. Oeps, het water spuit recht naar Wietse.

'Hou op!' roept Wietse. 'Ik word kletsnat!'

'Sorry', lacht Yunus. Nu richt hij op de auto en spoelt het zeepsop van het autodak.

'Nu mag ik', zegt Wietse en hij probeert de tuinslang van Yunus af te pakken.

'Nee, ik doe het!' zegt Yunus en rukt de tuinslang weer naar zich toe.

Het water spuit naar alle kanten. Over de auto en de stoep. Tegen de voordeur van meneer Kumar en tegen de ramen van zijn huis.

De deur zwaait open.

'Stop!' roept meneer Kumar. 'Alleen de auto, heb ik gezegd. Niet mijn ramen!' Hij draait de kraan dicht.

De jongens kijken hem beteuterd aan. 'Sorry', zeggen ze tegelijk.

'We maken alles weer droog', belooft Yunus.

'Alles', zegt Wietse.

En dat doen ze ook. Ze drogen de auto netjes af. En daarna de ramen en de voordeur.

'Keurig', zegt meneer Kumar tevreden. 'Alsjeblieft, allebei twee euro.'

'Dank u wel, dag meneer Kumar!'

'Wauw, allebei twee euro. Dat gaat lekker zo', zegt Wietse.

'Heel lekker', zegt Yunus. 'Ik zei toch dat we rijk zouden worden?' Vrolijk lopen ze terug naar het huis van Wietse.

'Ik ga even een droge spijkerbroek aantrekken. Ik ben echt

kleddernat', zegt Wietse, terwijl hij de trap oploopt.
'Zullen we straks nog even gaan fietsen?'
'Is goed', zegt Yunus. 'Geef mij het geld maar, dan doe ik het
wel in de klomp.'
Wietse gaat vlug naar binnen. Boven aan de trap
doet Yunus het geld in de klomp. Even aarzelt
hij. Dan pakt hij snel de klomp van de muur en
loopt zo snel hij kan de trap af naar beneden.
Daar kijkt hij nog even om. Gelukkig, Wietse
heeft niets gemerkt.

# 9. Van je vrienden pik je toch niet?

Even later fietsen Wietse en Yunus vrolijk over de kade. Er liggen heel wat boten langs de kant. Een rondvaartboot, zeilboten, een vrachtschip dat *De Onverwachts* heet en een driemaster: een groot houten schip met drie masten erop.

'Gaaf hè?' zegt Wietse. 'Ik zou best eens mee willen op zo'n schip.'

'Ik niet', zegt Yunus. 'Ik word al zeeziek als ik ernaar kijk.'

'Kijk, de brug gaat omhoog', wijst Wietse.

Langzaam vaart een vrachtboot, volgeladen met containers, onder de brug door. Aan de zijkant van de boot staat een naam: *Oranjestad*. Wietse trapt op de rem en springt van zijn fiets. Yunus heeft niets in de gaten en rijdt gewoon door.

'Ik ben een keer met mijn vader naar Turkije geweest', vertelt hij. 'En toen hebben we ook op een boot gevaren. Maar ik was ...'

Opeens merkt Yunus dat hij tegen de lucht zit te praten. Wietse is nergens meer te bekennen. Verbaasd kijkt Yunus om. Een heel eind achter zich ziet hij Wietse staan. Vlug keert hij zijn fiets en rijdt terug.

'Wat heb jij nou?' roept hij.

'Kijk dan, dat schip heet *Oranjestad*!' wijst Wietse.

'Nou en?'

'Daar woont mijn vader', zegt Wietse. 'In Oranjestad! Waar zou dit schip heengaan?'

'Weet ik veel', zegt Yunus. 'Volgens mij vaart hij nu naar de kant. Ja, hij gaat aanleggen. Nou, gaan we weer? Wie het eerst bij de haven is!' Yunus gaat er meteen als een speer vandoor.
'Eh ... ja, ik kom', zegt Wietse.
Na een tijdje hebben Wietse en Yunus wel genoeg boten gezien. Het is tijd om naar huis te gaan.

's Avonds onder het eten vertelt Wietse aan zijn moeder dat ze de auto van meneer Kumar hebben gewassen.
'We kregen elk twee euro. Goed hè?'
'Heel goed. Wat fijn dat Yunus en jij zulke goede vrienden zijn. Hoeveel geld hebben jullie nu al?'
'Zeven euro', zegt Wietse trots.
'Zeven vijftig', zegt mama. Ze geeft Wietse een munt van vijftig eurocent.
'Die had ik nog in mijn zak van het boodschappenkarretje van de supermarkt.'
'Bedankt mam. Ik doe het meteen in de klomp.'
'Eerst eten', zegt mama.
Na het eten wil Wietse meteen het geld in de klomp doen. Maar ... de klomp hangt niet meer aan de muur. De klomp is weg!
Dit kan niet waar zijn, denkt Wietse. Hij knippert met zijn ogen en kijkt daarna nog eens goed. Het is wél waar, de klomp is verdwenen.
'Wat gemeen!' roept Wietse. 'Wie heeft dat gedaan? Wie heeft ons geld gepikt?'
Wietse rent naar binnen.
'De klomp is weg!' brult hij. 'Gestolen!'
'Wat?' schrikt mama. 'Hoe kan dat nou? Er komt hier toch

niemand in de gang? De buitendeur is dicht!'

'Hij is echt weg, kijk maar', zegt Wietse. 'Het is gemeen!' huilt hij. 'Ons geld zat erin. Wij hebben ervoor gewerkt.'

'Ik snap er niks van', zegt mama. 'Is de klomp misschien van de muur gevallen? Ligt hij soms onder aan de trap?'

Wietse vliegt bijna de trap af naar beneden. Maar daar ligt de klomp ook niet.

'Ik ga naar Yunus', zegt Wietse.

'Nee, nu niet, ze zijn aan het eten', zegt mama.

'Dan ga ik hem bellen.' Wietse stampt naar binnen en toetst het nummer van Yunus. De vader van Yunus neemt op.

'Is Yunus er ook?' vraagt Wietse.

'Nee, die is naar zijn oma, want zij is ziek. Yunus is eten brengen.'

'Komt hij gauw terug?'

'Dat weet ik niet', zegt de vader van Yunus.

'O, nou, bedankt. Dag.'

'Hij is niet thuis', zegt Wietse tegen zijn moeder. 'Zullen we de politie bellen?'

'Nee joh, die komt echt niet voor een gestolen klomp met zeven euro erin. Bovendien is de dief er allang vandoor. Vraag morgen maar eens rond in de buurt. Misschien heeft iemand iets gezien.'

'Ja maar ...' sputtert Wietse.

'We kunnen nu echt niets doen', zegt mama. 'Ga je huiswerk maar maken, want dat moet ook af. Morgen is er weer een nieuwe dag.'

Zuchtend begint Wietse aan zijn huiswerk. Maar hij kan zijn hoofd er niet goed bij houden. Als zijn huiswerk eindelijk af is, gaat Wietse meteen naar bed. Hij heeft geen zin in tv kijken. Hij wil gewoon alleen zijn.

Wietse kan niet slapen. Uren ligt hij te draaien en te denken. Er kruipen twijfels in zijn hoofd. Zou Merijn toch gelijk hebben? Wonen er in deze buurt allemaal dieven? Is er stiekem iemand binnen gekomen? Heeft die de klomp gestolen? Ach nee, wie zou dat nu moeten zijn. Niemand weet dat er geld in de klomp lag. Niemand, behalve mama en Yunus.
Yunus? Zou hij? Yunus heeft de laatste keer het geld in de klomp gedaan. Zou hij dan toch ...? Ach nee, dat kan niet waar zijn. Yunus is zijn vriend. En zijn vader en moeder zijn ook heel aardig. En zijn zus en de mensen uit de straat ook. Dat zijn echt geen boeven of dieven. En de jongens die crossen op het veldje? Nee, die ook niet. Ze laten hem en Yunus altijd mee-doen. Dat zijn ook vrienden. En van je vrienden pik je toch niet? Maar wie heeft de spaarklomp dan gestolen?
Wietse schrikt. Heb ik vanmiddag toen ik thuis kwam de deur naar de trap open laten staan? Ach nee, vast niet. Of wel?
Hij weet het niet meer.
Was papa maar hier, denkt hij. Of was ik maar bij papa op Aruba. Dan was alles opgelost. Plotseling gaat hij rechtop zitten.
Ik weet het! denkt hij. Ik ga naar papa in Oranjestad! Morgen ga ik naar hem toe en ik weet ook al hoe!
Dan gaat hij weer liggen. Hij trekt de dekens over zich heen en valt eindelijk in slaap.

# 10. Ik ga, doei!

De volgende ochtend is Wietse al heel vroeg wakker. Zijn moeder slaapt nog. Wietse zoekt wat kleren bij elkaar en doet ze in zijn rugtas. De boeken en schriften legt hij op zijn bureau. Die heeft hij niet meer nodig. Hij kleedt zich aan en loopt dan zachtjes naar de keuken. Daar smeert hij een stapel boterhammen en doet ze in een plastic zak. Hij propt de zak met boterhammen bij zijn kleren in de rugtas. Hij pakt een fles frisdrank uit de koelkast en stopt die er ook bij. Oei, de rugtas wordt wel zwaar. Maar het moet. Wietse zet de rugtas alvast bij de voordeur. Daarna gaat hij weer op zijn bed liggen en wacht tot zijn moeder wakker wordt.

Een uur later klopt ze op de deur.

'Wietse, opstaan!'

'Jahaa!' roept Wietse. Hij wacht nog een tijdje en gaat dan naar de kamer.

'Goeiemorgen, Wietse', zegt zijn moeder. 'Wat ben je vroeg. Al aangekleed en wel. Heel goed.' Ze knuffelt hem even.

'Kon je wel slapen vannacht?'

'Gaat wel', zegt Wietse en hij smeert een boterham. Mama geeft hem thee.

Even later is het tijd om naar school te gaan.

'Dag mam', zegt Wietse en geeft zijn moeder een extra dikke pakkerd.

'Waar heb ik dat aan verdiend?' vraagt ze lachend.

'Zomaar', zegt Wietse.

'Fijne dag, grote zoon', zegt zijn moeder. 'Denk maar niet teveel aan gisteren. Wie weet vinden we het geld weer terug. Ik kom vanmiddag wat eerder naar huis om je te helpen met zoeken.'

'Ja, goed', zegt Wietse.

'Heb ik je al verteld dat ik heel erg trots op je ben?' vraagt zijn moeder.

'Al zo vaak', zegt Wietse. 'Nou, ik ga, doei!'

Wietse pakt zijn rugtas en rent de trap af. Als hij beneden is staat hij stil.

Hij twijfelt. Zal ik teruggaan? denkt hij. Hij schudt zijn hoofd. Nee, ik ga doen wat ik van plan was.

Net als elke morgen haalt hij zijn fiets uit het magazijn achter de winkel. De vader van Yunus is daar al aan het werk.

'Dag Wietse, fijne dag op school', zegt hij.

'Daag.' Wietse loopt snel naar buiten en stapt op zijn fiets. Hij rijdt de straat uit, slaat linksaf, daarna rechtsaf onder de stenen poort door, naar de kade.

Daar liggen nog steeds veel boten. Een rondvaartboot, het vrachtschip dat *De Onverwachts* heet en de driemaster.

Niet ver van de brug ligt nog een vrachtschip, volgeladen met containers. Aan de zijkant van het schip staat: *Oranjestad*.

Wietse fietst er langs en daarna weer terug. De loopplank van de *Oranjestad* ligt uit. Sterke mannen dragen dozen en zakken vanaf de kade in het schip. Aan een kant van het schip is de stuurhut. Die steekt boven alles uit. Rondom de stuurhut zijn ramen. Wietse ziet mannen heen en weer lopen. Een van hen heeft een pet op. Dat is de kapitein, denkt Wietse. Oei, hij kijkt!

Wietse rijdt snel door naar de rondvaartboot. Daar is alles nog stil. Op de kade staat een houten huisje. Daar kun je kaartjes kopen voor de rondvaart. Het loket is dicht. Er is niemand in het huisje. Het is nog te vroeg.

Wietse stapt af en zet zijn fiets tegen de muur van het huisje. Hij zet de fiets op slot en steekt de sleutel in zijn zak. Daarna loopt hij langzaam terug naar het containerschip. Wat een groot schip is het. Er staan misschien wel honderd containers op.

Opnieuw leest Wietse de naam op het schip: *Oranjestad*. Daar woont mijn vader, denkt hij. Daar gaat dit schip vast naartoe en ik ga mee. Ik verstop me op het schip. Niemand zal merken dat ik er ben. En dan vaar ik zo naar Aruba.

Wietse kijkt naar de ramen in de stuurhut. Niemand te zien. Ook op het dek van het schip is niemand meer. Wietses hart bonkt, hij haalt diep adem en denkt: Nú!

Wietse rent de loopplank op en springt op het dek van het schip. Hij kijkt naar links en naar rechts. Aan de ene kant staan de containers. Aan de andere kant is de hoge stuurhut. Waar moet ik heen, denkt hij. Waar kan ik me verstoppen?

Tegenover de stuurhut staat een deur op een kier. Wietse loopt erheen en gluurt naar binnen. Hij ziet een lange, ijzeren trap in een donker gat. Achter zich hoort Wietse voetstappen. Meteen draait hij zich om en loopt voorzichtig achterstevoren de steile trap af naar beneden. Zijn ogen moeten even wennen aan het donker. Dan ziet Wietse grote motoren in een lange rij, naast elkaar. Hij is in de machinekamer.

Waar zal ik me verstoppen? Hier, achter de trap?

Hij doet zijn rugtas af en kruipt achter de ijzeren trap.

Op zijn hurken blijft hij even zitten luisteren. Heeft iemand hem gehoord?

Boven aan de trap zwiept de deur verder open. Een paar mannen in blauwe overalls stampen de trap af. Ze doen de lichten aan en lopen verder, zonder dat ze Wietse hebben gezien.

Wietse krijgt kramp in zijn kuiten. Hij probeert op te staan. Doing! Hij stoot zijn hoofd keihard tegen de ijzeren trap. 'Au!' roept hij, terwijl hij over zijn hoofd wrijft.

'Hé!' roept een van de mannen aan het andere eind van de machinekamer. 'Wie is daar?'

Wietse houdt zijn adem in. Hij maakt zich zo klein mogelijk en kruipt nog verder onder de trap. Doodstil blijft hij zitten. De man doet een paar passen in de richting van Wietse. Hij kijkt en tuurt ...

'Mmmm, niks aan de hand', mompelt hij en loopt weer terug. Opgelucht ademt Wietse uit. Pfff, dat was op het nippertje.

Dit is echt een goede verstopplek. Ik blijf hier mooi zitten. Niemand die me ziet, denkt Wietse. Tussen de treden van de trap door kijkt hij naar de monteurs die aan een van de motoren werken. Het valt niet mee om zo lang stil te zitten. Wietse wordt er moe van en valt bijna in slaap.

Plotseling beginnen de motoren te draaien en te stampen. Het schip schudt heen en weer en Wietse schudt mee. Hij is meteen klaarwakker.

Wat een lawaai! Wietse wil zijn handen wel voor zijn oren doen, maar hij durft zich niet te bewegen. Na een tijdje gaan zijn benen weer pijn doen. Ik wou dat ik iets hoger kon zitten, denkt Wietse. Dit houd ik niet zo lang vol. Wacht eens, daar staat een emmer. Die ga ik pakken. En dan ga ik op de emmer zitten. Wietse trekt zich op en loopt gebukt naar de emmer die een eindje verderop staat. Hij pakt de emmer, zet die zachtjes achter de trap en gaat op de emmer zitten. Oei, denkt hij, ik had de emmer om moeten draaien. Nu zit ik erín in plaats van erop. Wietse probeert weer te gaan staan, maar de emmer blijft aan zijn billen vastzitten. Dan maar zo, denkt Wietse en gaat weer zitten.

De motoren van het schip blijven dreunen in een langzaam ritme: doef, doef, doef, doef. Ongemerkt drumt Wietse mee, met zijn handen op zijn knieën. Tam, ta-ta tam, ta-ta tam, ta-ta tam. Na een tijd begint hij zich te vervelen. Wanneer gaat dat schip nu eindelijk eens varen? vraagt hij zich af. Ik zit hier al wel een uur. Of varen we misschien al? Nee, dat kan niet, dat had ik vast wel gemerkt.

Opeens moet hij aan zijn moeder denken. Wat zal ze zeggen als ik vanmiddag niet thuiskom? Zal ze ongerust zijn? Of boos? En mijn vader? Wat zal hij zeggen als ik opeens voor zijn neus sta? En Yunus? Zal hij begrijpen waarom ik ben weggelopen?

Zullen ze op school merken dat ik er niet ben? Wat zal meester Sep van me denken? En de kinderen uit mijn klas? Zullen ze me uitlachen, of ook ongerust worden? Ach nee, het kan ze vast niks schelen wat ik doe.

Hoe lang moet je eigenlijk varen naar Oranjestad? Een dag? Twee dagen? Misschien wel een week of een maand. Maar dat kan niet! Ik heb maar zes boterhammen bij me. En een fles fris. Dat is niet genoeg voor een maand. Straks ga ik dood van de honger en de dorst!

En wat gebeurt er als ze me toch vinden, hier achter de trap? Moet ik dan mee naar de kapitein? Die wordt vast heel boos! Misschien sluit hij me op. Ergens in een klein hokje. En dan krijg ik alleen water en brood. En dan belt hij de politie. Die neemt me mee en gooit me in de gevangenis. En dan zie ik mijn vader en moeder nooit meer terug! Of ze gooien me overboord, midden op de zee! En in de zee zwemmen haaien en die bijten in je benen. Of misschien komt er een walvis en die slokt me zo op!

Wat moet ik doen? Teruggaan naar huis? Of naar school? Ik durf niet. Wat zullen ze zeggen?

Eigenlijk wil ik helemaal niet naar mijn vader. Niet alleen op zo'n eng schip. Ik wil bij mijn moeder blijven. Ik wil ... ik weet niet meer wat ik wil!

Wietse krijgt het helemaal benauwd. Ik moet hier weg, denkt hij. Het was een dom plan om op dit schip te gaan. Ik moet eraf!

Hij staat op. De emmer valt met veel kabaal van zijn billen op de vloer. Geschrokken kijkt hij naar de monteurs. Gelukkig, door het lawaai van de motoren hebben ze niets gehoord. Wietse sluipt stapje voor stapje de ijzeren trap op naar boven. Daar gluurt hij om de hoek van de deur. Hij schrikt. De loopplank ligt op het dek. Wietse rekt zich wat verder uit. O nee, de boot vaart al; hij is te laat!

# 11. Wie ben jij?

Op de bovenste tree van de trap kijkt Wietse in paniek om zich heen.

Wat moet ik doen? Waar moet ik heen? Hoe kom ik weer op de kade?

Hij weet geen antwoord, maar ziet wel hoe het schip steeds verder van de kade wegvaart.

Tegenover de trap is nog een deur. Wat zou daar achter zijn? Kan ik me daar misschien verstoppen? denkt Wietse.

Hij maakt zich klein en sluipt naar de deur. Hij komt in een smalle gang, met een kleine trap naar beneden. Daar is weer een deur, met een rond raam erin.

Wietse gaat op zijn tenen staan en kijkt naar binnen. Er staat een man met een witte muts op voor een gasfornuis. Hij roert in een grote pan. Op het aanrecht staat een schaal met gebraden worstjes.

Dat is de kombuis, weet Wietse. En die man is de kok. Mmm, wat ruikt het lekker daar. Opeens voelt Wietse dat zijn maag rammelt. Hij kijkt op zijn horloge. Het is al twaalf uur! Ik zou best zo'n lekker worstje lusten, denkt hij. Of een boterham. Wietse voelt achter zijn rug. Mijn rugtas! schrikt hij. Ik ben mijn rugtas vergeten. Die ligt nog onder de trap in de machinekamer. Wat nu?

Wietse kijkt nog eens door het raampje van de kombuis. De kok pakt een grote pan met gebakken eieren van het vuur en loopt ermee door een deur aan de andere kant van de kombuis.

Wietse glipt naar binnen. Zal ik? denkt hij, terwijl hij naar de worstjes kijkt. Achter de deur hoort hij de stem van de kok. Oei, wegwezen! Daarheen, in de voorraadkast.

Wietse struikelt bijna over een kist fruit. Hij valt tegen een grote zak met aardappelen. Vlug staat hij op en kruipt achter een stapel kisten met groente en fruit. O nee, hij heeft de deur open laten staan! Snel, dicht die deur, anders ziet de kok hem meteen. Hijgend zit Wietse even later weer verstopt achter de groentekisten. De kok komt de kombuis weer in. Hij rommelt met potten en pannen. Hij zingt een vrolijk lied in een andere taal. Wietse kan er niets van verstaan. Vast Arubaans, denkt hij. Zou het een aardige kok zijn? Of juist heel stoer met van die tattoos op zijn armen? Wietse moet even kijken. Op zijn tenen loopt hij naar de deur en doet die een klein stukje open. Maar voor hij in de kombuis kan gluren zwaait de deur helemaal open. Van schrik doet Wietse een stap achteruit en valt achterover in een doos met eieren. Met bange ogen kijkt hij naar de kok.

'Wat moet dat hier?' roept de kok verbaasd. 'Wie ben jij? Hoe kom je hier? Wat doe je daar?'

Ik ... ik b-ben W-wietse', stottert Wietse.

'Wat doe je in mijn voorraadkast?' vraagt de kok weer.

'V-verstoppen', zegt Wietse.

'Verstoppen? Het moet niet gekker worden, een verstekeling in mijn kast. Zo zout heb ik het nog nooit gegeten.'

Hij steekt zijn hand uit en helpt Wietse overeind. Met een doek veegt hij het meeste ei van Wietses kleren.

'Lekker slim om in de eierdoos te gaan liggen, ventje', zegt hij met een donkere stem, maar zijn ogen lachen.

'Wil je wat eten?'

'Graag', zegt Wietse. De kok snijdt twee dikke boterhammen af, smeert er boter op en legt er twee heerlijke worstjes tussen.

'Zo, alsjeblieft. Werk dat eerst maar eens naar binnen.'

Dat hoeft de kok geen twee keer te zeggen. In een mum van tijd is het bord leeg

'Zo, jij had trek. Vertel nu eens wat je hier doet.'

'Ik wilde naar Oranjestad, maar nu niet meer', zegt Wietse.

'Naar Oranjestad? Op Aruba? Dacht je dat we daarheen gingen?'

'Ja, het staat toch op het schip?'

'Klopt, Oranjestad is de naam van het schip. Maar daar varen we niet heen, dat is veel te ver. We varen naar Rotterdam.'

'O', zegt Wietse verbouwereerd. 'Naar Rotterdam?'

'Ja. Waarom wil jij eigenlijk naar Oranjestad?'

'Daar woont mijn vader', zegt Wietse. 'Ik wou naar hem toe. Maar nu niet meer. Ik wil liever terug. Mag dat?'

'Dat moet je die ouwe maar vragen', zegt de kok.

'Die ouwe?'

'Ja, de kapitein. Ik breng je naar hem toe.'

'N-nee, alstublieft, mag ik niet hier blijven?'

'Je wilt toch terug naar je moeder?'

'Ja, maar ...'

'Dan moet je eerst mee naar de kapitein. Kom op!' De kok pakt Wietse bij zijn arm en neemt hem mee. De gang door, het trapje op, een andere deur door, een lange trap op, naar de stuurhut.

De kapitein staat aan het roer.

'Kijk, wat ik in mijn voorraadkast heb gevonden', zegt de kok.

De kapitein draait zich om.

'Wie is dat?' vraagt hij verbaasd.

'Dit is Wietse', zegt de kok. 'Hij wilde met ons naar Aruba. Maar nu wil hij toch liever weer naar huis, naar zijn moeder.'

'Naar Aruba? Wat een onzin. Hoe kom jij op mijn schip?' vraagt de kapitein.

'Over de loopplank, meneer', zegt Wietse met een bibberstem.

'Ja, dat snap ik. Heb je iemand gevraagd of je mee mocht?'

'N-nee', zegt Wietse.

'Heeft niemand je gezien?' vraagt de kapitein.

'Niemand, ik heb me verstopt. Eerst in de machinekamer en toen ging ik weer naar boven. En toen had ik geen eten, want mijn rugtas ligt nog achter de trap. En toen kwam ik in de kombuis en toen ...'

'Ja, ja, en toen heeft de kok je gevonden.'

'Ja.'

Daarna moet Wietse weer vertellen waarom hij zo graag mee wilde met het schip.

De kapitein doet even zijn pet af en krabbelt op zijn hoofd.

'Mmm, ja, ik begrijp dat jij je vader mist', zegt hij dan veel minder streng. 'Maar je kunt echt niet zomaar in je eentje op een schip gaan. En dan naar Aruba varen. Dat was een slecht idee van je, Wietse.'

'Ja meneer', zegt Wietse.

'Ik denk dat je moeder vreselijk ongerust is.'

'Ja', zegt Wietse. Tranen springen in zijn ogen.

'Je moet terug naar huis', zegt de kapitein.

Wietse knikt.

'Kun je zwemmen?'

Wietse kijkt verschrikt naar de kapitein. 'Niet zo ver', zegt hij snel.

Zal hij me nu toch overboord gooien? denkt hij bang.

'Ik ga de politie bellen', zegt de kapitein.

'D-de p-politie?' stottert Wietse.

'Ja, er zit niets anders op. Ik kan je niet terugbrengen. We hebben al genoeg tijd verloren met een kapotte motor. Daarom moesten we aanleggen in jouw stad. We varen niet weer terug.'

De kapitein pakt de telefoon en belt. Hij legt uit dat Wietse bij hem op het schip zit en weer terug moet naar huis.

'Oké, prima', zegt hij even later tegen de agent aan de telefoon. 'Als jullie er zijn, laten we hem wel zakken.' De kapitein legt de telefoon neer.

'Je hebt geluk, knul', zegt hij tegen Wietse. 'Ze komen je halen.'

# 12. Waarom ben je weggelopen?

Wietse moet op een stoel in de stuurhut zitten. Hij mag er niet meer vanaf. Een matroos haalt de rugtas van Wietse. Het schip vaart langzaam verder. Na een uur laat de kapitein de scheepshoorn blazen. Hij steekt zijn hand op naar iemand beneden. 'Ze zijn er', zegt hij tegen Wietse. 'Kom maar mee.'
Terwijl de stuurman het roer van het schip overneemt, brengt de kapitein Wietse naar het dek.
Naast het schip ligt een bootje. Het is wit met rode en blauwe strepen. Een agent staat op het dek en gooit een touw naar de matroos van de *Oranjestad*.
Die houdt het touw stevig vast. De kapitein tilt Wietse op aan zijn armen en laat hem dan langzaam overboord zakken. De agent vangt hem op.
De matroos gooit het touw en Wietses rugtas in de boot. De agent brengt Wietse naar binnen in de politieboot. Even later blaast de hoorn van de *Oranjestad* opnieuw. De kapitein tikt aan zijn pet en de agent doet hetzelfde.
Dan draait de politieboot naar rechts en vaart terug over de rivier. Wietse staat naast de agent die de boot bestuurt.
'Hou je vast, knul', zegt hij. De boot gaat met een flinke vaart over de rivier, in de richting van de stad waar Wietse woont. Wietse houdt zich goed vast. Na een uur zijn ze weer terug in de stad van Wietse. De agent stuurt de boot naar de kade, vlak voor een stenen trap.

'Zo Wietse, we zijn er', zegt de agent. 'Loop maar naar boven. Daar staat mijn collega op je te wachten.'

'Ja, eh ... bedankt', zegt Wietse en springt vanaf de boot op de trap. Aarzelend loopt hij naar boven.

Op de kade stapt een agent uit zijn politieauto. Hij loopt naar Wietse toe en pakt zijn handboeien.

Wietse schrikt ervan. Moet ik die om? denkt hij bang.

'Kan hij zo mee, of moet ik hem boeien?' roept de agent op de kade naar zijn collega in de boot.

'Mwah, kan zo wel, denk ik', roept die terug. Hij steekt zijn hand op tegen Wietse en tikt aan zijn pet. Dan geeft hij gas en al snel is de politieboot onder de brug door gevaren en verdwenen.

Wietse moet achter in de politieauto gaan zitten. De agent start de motor en Wietse ziet dat ze door de stad naar het politie-bureau rijden. Hij duikt een beetje weg van het raam. Stel je voor dat iemand me ziet, denkt hij. Dan denken ze dat ik een dief ben.

De auto stopt voor het politiebureau. Meteen gaat de deur open. Wietses moeder rent naar buiten. De agent doet het portier van de auto open en laat Wietse uitstappen.

'Waar was je nou?' roept zijn moeder.

'Ik ...', begint Wietse, maar veel verder komt hij niet. Zijn moeder knuffelt hem bijna plat.

'Wat ben ik blij dat je er weer bent', zegt ze. 'Ik was zo ongerust. Je was niet op school en niemand wist waar je wel was. Ik heb de hele morgen gezocht en daarna de politie gebeld. Pas een halfuur geleden zeiden ze dat je was gevonden. Ik was zo bang, Wietse.' Ze begint te huilen.

'Ik ben er nu toch weer', zegt Wietse, terwijl zijn wangen vuurrood worden van schaamte. Hij vindt het vreselijk dat zijn moeder moet huilen omdat ze zo ongerust over hem was.

Dan ziet hij dat de vader van Yunus ook naar het politiebureau is gekomen. Hij loopt naar Wietse toe en zegt streng: 'Dat was niet goed van je, Wietse. En ook niet slim.'

Wietse kijkt naar zijn schoenen.

'Ik weet het', zegt hij. 'Sorry.'

'Zeg dat maar tegen je moeder', zegt de vader van Yunus. 'En tegen Yunus, want die is bang dat hij zijn beste vriend kwijt is.'

Een agente pakt Wietse bij zijn arm.

'Kom Wietse, je moet even met mij mee', zegt ze.

'Moet ik in de gevangenis?' vraagt Wietse opeens in paniek.

De agente glimlacht. 'Nee, dat nog net niet. Maar ik wil wel even met je praten en horen wat er allemaal is gebeurd.'

Wietse gaat mee. Nadat hij alles heeft verteld en heeft beloofd om nooit meer zoiets uit te halen, mag hij met mama en de vader van Yunus mee naar huis.

'Ik moet weer naar de winkel', zegt de vader van Yunus als ze weer in de Jan van Galenstraat zijn. 'Ik zie je nog wel, Wietse.'

'Is goed', zegt Wietse. Hij loopt snel achter zijn moeder aan de trap op naar boven. Als ze binnen zijn gaat meteen de telefoon. Het is meester Sep die wil weten of Wietse al terecht is. 'Ja hoor', zegt mama, 'Wietse is er weer, gelukkig.'

'Is alles goed?'

'Alles is goed', zegt mama.

'Het is nu te laat voor school, maar maandag wil ik van Wietse horen wat er allemaal is gebeurd.'

'Ik zal het hem zeggen. En bedankt voor het bellen', zegt mama.

Als ze de telefoon neerlegt gaat de bel. De moeder van Yunus is er met een schaal vol lekkere hapjes.

'Ik ben blij', zegt ze. Ze zet de hapjes op de tafel en knijpt Wietse in zijn wang. 'Niet weer doen, hè?'

'Nee hoor', zegt Wietse.

Om halfvier komt Yunus uit school. Hij belt aan en Wietse doet open.

Yunus kijkt boos. Hij is woedend op Wietse.

'Wat ben jij een sukkel!' roept hij kwaad. 'Waarom ben je nou weggelopen? Niemand wist waar je was. Ik wilde zoeken, maar ik moest naar school van mijn vader. Ik was bang dat je nooit meer terugkwam! Waarom heb je niks tegen mij gezegd? Ik ben toch je vriend? Waarom ging je ervandoor?'

Pas dan denkt Wietse weer aan de spaarklomp. Hij wijst naar de lege spijker aan de muur.

'Ze hebben de klomp gejat', zegt hij. 'Met al ons geld erin. Ik weet niet wie het heeft gedaan. Maar het moet iemand zijn die hier binnen is geweest. En dat zijn alleen mijn moeder en ik en jij.'

'Dacht je soms dat ík het geld had gestolen?' vraagt Yunus, terwijl hij Wietse met grote ogen aankijkt.

'N-nee, m-maar ik wist ook niet wie dan wel', zegt Wietse. 'En toen wou ik weg.'

Even blijft het stil. Dan draait Yunus zich om en rent de trap af. Verbaasd kijkt Wietse hem na.

Een minuut later is Yunus terug met de Friese klomp in zijn handen.

'Je had gelijk', zegt hij. 'Ik had hem. Maar niet om het geld te stelen. Kijk, ik heb jouw naam en die van je moeder in de klomp geschilderd. Ik wilde hem meteen terugbrengen toen het klaar was, maar toen moest ik nog een boodschap doen voor mijn vader. En daarna mocht ik niet meer weg.'

Samen lopen ze naar binnen.

'De spaarklomp is weer terug', zegt Wietse. 'Yunus heeft hem nog mooier gemaakt. Kijk mam.'

Zijn mama kijkt. *Maaike en Wietse Veringa* staat er in de klomp.

'Wat mooi', zegt ze.

'Echt wel', zegt Wietse.

'Hoeveel zit er nu in?' vraagt mama.

Wietse keert de klomp om. Het geld rolt op de tafel.

'Kijk', zegt hij. Al zeven ... eh, ácht euro. Uhh? Hoe kan dat nou? Er zit een euro meer in dan gisteren.'

'Van mij,' zegt Yunus, 'van mijn zakgeld.'

Wietse is er stil van. Dan zegt hij: 'Yunus, jij bent de beste vriend van de wereld.'

'Tuurlijk,' zegt Yunus met een kleur, 'wat dacht je dan?'


Als Yunus en zijn moeder naar huis zijn gaat opnieuw de telefoon.

Wietse neemt op.

'Met Wietse.'

'Dag mijn jongen, met opa. Mama heeft ons in het politie-bureau al gebeld dat ze je gevonden hebben. Maar oma en ik willen ook zelf je stem even horen. Is alles goed met je?'

'Ja hoor', zegt Wietse.

'Wat ben ik blij dat je weer terecht bent. Oma en ik waren zo ongerust. Weglopen helpt niet, Wietse. Als je een probleem hebt, moet je erover praten. En dat kan altijd. Met je moeder en met ons en met je vader. Dat weet je toch?'

'Ja opa', zegt Wietse. 'Sorry dat jullie ongerust waren.'

'Waarom liep je nou weg, Wietse?' roept oma, die zo te horen vlak naast opa staat.

'Ik wou naar papa', zegt Wietse en krijgt zomaar weer een brok in zijn keel.

'Dat dacht ik al', zegt opa weer.

'Je had ons moeten bellen', roept oma.

'Oma heeft gelijk', zegt opa. 'Want wij hebben allang gezien hoe erg jij je vader mist. Wij missen hem ook. Daarom gaan we in de herfstvakantie naar hem toe. En ...'

'Jij mag mee!' roept oma.

'Echt?!' roept Wietse. Hij kan zijn oren niet geloven. 'Echt waar?'

'Echt waar', lachen opa en oma in de telefoon.

'Ik mag met opa en oma mee naar Aruba!' roept Wietse naar zijn moeder. 'Yes, yes, yes!'

'Het mag toch wel van jou?' vraagt Wietse dan.

'Ja hoor, natuurlijk mag dat', zegt mama. 'Opa en oma hadden het mij al gevraagd.'

'Ik ben zo blij!' juicht Wietse in de telefoon. 'Straks spring ik nog een gat in de lucht!'

# 13. Voor de beste vriend van de wereld

Het is vier weken later. Wietse zit op het strand van het eiland Aruba. Ver weg van Nederland. De zon schijnt op zijn gezicht. Kleine golfjes klotsen tegen zijn blote voeten.

Gisteren zijn hij en opa en oma aangekomen op Aruba. Zijn vader stond al te wachten op het vliegveld. Wat was hij blij om Wietse weer te zien. Hij pakte Wietses hand zo stevig vast dat het bijna pijn deed. En hij liet die hand niet meer los tot ze bij zijn huis waren.

Urenlang hebben ze met zijn vieren gepraat. Er was ook zo veel te vertellen. Het was al laat toen Wietse eindelijk in bed lag en als een blok in slaap viel.

Vanmorgen was hij alweer vroeg wakker. Samen met zijn vader heeft hij buiten ontbeten in de zon. Daarna moest zijn vader aan het werk op de zeilschool. Wietse is met opa en oma naar het strand gegaan.

Hij denkt aan Nederland. Mama heeft gemaild dat het daar hard regent en stormt. En dat ze bijna niet tegen de wind in kon fietsen.

En ik zit hier in de zon, denkt Wietse vrolijk. Als meester Sep en Erik en Rian en Merijn en de andere kinderen van mijn klas mij nu eens konden zien. Ze zouden hun ogen niet geloven.

Uit zijn rugtas pakt hij een stapeltje ansichtkaarten. Die heeft hij onderweg naar het strand gekocht. Hij legt ze een voor een voor zich neer. Welke zal ik naar mama sturen en naar mijn andere opa en oma? En welke naar meester Sep en de vrienden van mijn klas? Die met die gekleurde huizen van Aruba? Of die met de palmbomen of met de vissen in de zee? Of deze, de allermooiste, van Oranjestad, met het witte strand en de blauwe zee? Nee, deze is voor Yunus.

Wietse pakt zijn pen uit zijn rugtas en begint te schrijven: *Voor Yunus, de beste vriend van de wereld.*